コラム徒然草

奈良から

山下 栄二

奈良新聞社

目次

人生・暮らし

文化・歴史・教育

芸術

社会・経済

奈良

健康・スポーツ

人生・暮らし

美しい言葉

――2016年2月18日付

「シェイクスピア人生の名言」（ＫＫベストセラーズ）を読んでいる。人は苦労することで成長するのを意味する「窮境にまさる美徳はない」など、没後400年たった今も輝いている名セリフばかりだ▼名言・金言は決して有名人によるものばかりでない。先日、美容室で隣り合わせになった老婦人が、そこの店主に話していた彼女の夫の言葉に心を打たれた▼病気ではないのに最近、元気がない。こう話すのだそうだ。「私は毎日、食べて寝ているだけで全然、世の中に尽くしていない。申し訳ない気持ちでいっぱいだ」▼「これまでずっと働いて社会に貢献してこられたから、もうゆっくりされてもいいじゃないですか」と店主。「私もそう言ったんですが納得できないらしい。古いタイプの人なので」▼夫は90歳を超えているらしい。それなのに、なおも世の中のためになりたいと望む。名前も顔も知らない人の美しい言葉だった▼「美しい日本を取り戻そう」とは安倍首相のキャッチフレーズだが、別に取り戻さなくても美しい日本は、まだまだひっそりと世の中に存在する。

綱吉名君説

「ろうけんほーむ」は「老健ホーム」だとばかり思っていた。高齢化して介護が必要になったペットが入る「老犬ホーム」だとは思わなかった▼このような施設が全国で増えてきている。飼い主も高齢化し、介護することができなくなり、行き場をなくしたペットを受け入れる場所になっているらしい▼といっても料金は年間三十数万円するそうだから、利用するのは経済的に余裕のある人か、ペットによほどの愛情がある人に違いない▼犬を大事にするので思い出すのが、生類憐れみの令で知られる徳川五代将軍、綱吉だ。「人間より犬を大切にした」として評判が悪いが、作家の井沢元彦氏の説によれば、日本史上の名君となる▼江戸時代初期は戦国の気風が残り、当時の武士は身分の低い人をすぐに切り捨て御免にした。それが犬の命さえ尊ぶ生類憐れみの令によって、日本人の意識改革がなされたという▼世界では、マレーシア航空機撃墜事件やパレスチナ自治区ガザへの空爆などで罪のない人々が犠牲になっている。綱吉名君説に与《くみ》したい気分が日に日に増している。

――2014年8月2日付

「敬老の日」に思う

——２０１４年９月14日付

15日は敬老の日。厚生労働省の調査によると、全国の１００歳以上の高齢者は、前年比４４２３人増加の５万８８２０人となり44年連続で過去最高を記録した▼超高齢化時代である。平成25年の日本人の平均寿命は男性80・21歳。女性86・61歳で、女性は2年連続世界一、男性も初めて80歳を超えた▼50年近く前、地区に88歳の米寿を迎えた女性がいて、「なんて長生き」と感嘆したものだが、今は平均に近い。70歳の古希は「古来まれ」の意味があるが、当たり前になってきている▼70歳といえば深沢七郎の小説「楢山節考」を思い出す。老人は70歳になると山に捨てられるという姥捨《うばすて》伝説を小説化して文壇に衝撃を与えた▼木下恵介、今村昌平という巨匠監督2人が映画化して、2作とも高く評価された。貧しい村は食料が足りず、若い家族が生活するためにお年寄りが犠牲になる。胸が痛くなる筋だ▼物質的に恵まれた現代は、この小説のようなことはないだろう。ただ、精神的に「姥捨」のような心がまったくなくなっているのだろうか。

家族のふれあい

一説によると、リングリング（米国）、ボリショイ（ロシア）とともに世界三大サーカスの一つとされる木下サーカスが奈良市内で公演中だ▼先月21日から始まり、早くも来場者5万人を突破するなど連日盛況のようだ。昭和60年に奈良ドリームランドで開かれて以来、実に30年ぶりの県内開催になるという▼当時の会場ドリームランドも、あやめ池遊園地も今はない。久し振りの県内公演であるとともに、家族連れで楽しめる場所が県内に少なくなっているのも今回、サーカス人気の要因かも▼少子化や娯楽の多様化、外資系巨大テーマパークの進出など、身近な遊園地が少なくなってきているのには多くの理由が考えられる▼回数は少なかったものの、子どものころ弁当持参で遊園地へ出掛けたり、父親とプロ野球ナイター観戦した思い出は、今の筆者の脳裏に焼きついている▼物質的には豊かになってきている現代日本。が、家族のふれあい、絆が希薄になってきているのは確かだ。中高年男の郷愁かもしれないが、ゲームやネットに熱中する子どもたちに将来、何の思い出が残るのだろう。

——２０１５年３月11日付

ブラック越前

江戸時代の名奉行・大岡越前が活躍する物語に子争いがある。1人の子どもの母親を主張する女性が2人いた。「その子の腕を1本ずつ持ち、引っ張りあって勝った方を母親としよう」と大岡▼引っ張られた子どもは、「痛い」と泣き出し、片方の母親は手を離す。本当の母親なら子が痛いと言うと哀れと思うはずと、大岡は離した女性を親と認めた▼これからは、現代版の大岡裁き。2人の女性の1人が、言うことを聞かない子に暴力を振るおうとした。ブラック越前いわく。「虐待する方が本当の親」▼こんな、あってはならない事例が後を絶たない。父、母、家族からの虐待。近畿では昨年1年間、虐待を受けている疑いがあるとして、警察が児童相談所に通告した18歳未満の子どもは6812人と過去最多▼事件をきっかけにできた奈良市児童虐待重症事例検証会議は5月、教職員に対する研修の充実や学校での長期欠席者の確認徹底など再発防止策を提言した▼社会全体で子どもたちを虐待から守っていかなければならない。「これにて一件落着」を増やさねば。

――2015年6月22日付

ペットボトルのお茶

コンビニでペットボトルのお茶を買った。値段は150円。その代金は、コンビニのレジに収まった後、どこに行くのか、との問題がある▼コンビニの売り上げとなるのはもちろん、商品のメーカー、コンビニの商品を配送する運送業、茶栽培の農家が、考えられる▼これだけではない。ペットボトル容器製造業者、その製造のための石油を運ぶタンカー会社、デザインのためのパソコンやデザインソフトのメーカー、肥料、農具メーカーなどと無限に広がる▼「ペットボトルの背後には、何百人、何千人、何万人もの人たちが見えます」。これらを指摘した「投資家が『お金』より大切にしていること」（藤野英人著、星海社新書）を読んで、目からウロコが落ちた▼逆に、人は150円のペットボトルを買うことによって、数多くの貢献をしているともいえる。無職でも子どもでも誰でもが消費することによって▼「人は、ただ生きているだけでも価値がある」と藤野氏。フェリーニ監督の映画「道」の名セリフを思い出した。「この世で役に立たないものは何一つない」。

――2016年4月4日付

「これでいいのだ」

――2016年5月1日付

3月までテレビで放映されていたアニメ「おそ松さん」は、赤塚不二夫原作の漫画「おそ松くん」を現代風に脚色していた。ギャグ漫画の神様と称された赤塚の精神が現代も生きている▼今は知る人も少ないかもしれないが、赤塚は戦後、旧満州から引き揚げ、母の実家がある大和郡山市で多感な少年時代を過ごした▼「わずか2年そこそこの大和郡山であったのに、よくもこれだけ懐かしい思い出があるものと自分でも驚く」と自叙伝（文春文庫）にある▼「遊びも悪戯《いたずら》もずっこけも、まさに『おそ松くん』の世界そのものを生きた」（同）。チビ太ほか、漫画に登場する多くのキャラは、当時の市民をモデルにしているという▼悪ガキ仲間と何度も警察のやっかいになった。しかし、その番長は、障害があるため運動会に参加できない子のために赤塚を付き添わせたほど人情味があった▼メチャクチャなギャグ作品の奥に、人間への深い愛情が隠されている。バカボンのパパの名セリフが、何か無限の温かさを感じさせるではないか。「これでいいのだ」。

ばかになりきれる人

日本の東西文化を比較する際に、例にされる言葉が「あほ」と「ばか」。関西で「おまえあほか」は親しみを込めた意味があるが、関東で人に「ばか」といえば人間関係が壊れる▼靴下屋チェーンの創業者・越智直正氏の著書「靴下バカ一代」（日経ＢＰ社）を読んだ。この場合の「バカ」は、他のことを顧みずに一つのことを追求してきたとの意味だろう▼越智氏は愛媛県生まれで、中卒後15歳で大阪へ丁稚奉公してから60年、良質な靴下づくりに心血を注いできた。あくまで国産にこだわる▼タビオは大阪に本社があるが、流通センターは広陵町にあり、靴下を生産する協力工場は同町を中心とした地域に点在する。県地場産業とのかかわりが深い▼20年以上前、同氏にインタビューする機会があった。自社製品の質をあまりに誇るので正直閉口したが、今から思えばそれだけの情熱、自信があったからだろう▼ショーウインドーに飾ってある靴下の弾力を確かめるため、店員の目を盗んで噛んだとの逸話も。小器用な人間が多くなっている世の中、ばかになりきれる人は大きい。

――２０１６年6月10日付

偏見とマナー違反

11月に奈良市でミュージカル「ウエストサイド物語」が上演される。映画化もされた傑作だが、作曲したレナード・バーンスタインはクラシック音楽の指揮者としても名高い▼クラシックは伝統のある欧州の音楽という認識があり、米国でも戦後しばらくまでは指揮者といえば、ほとんどが欧州出身。バーンスタインが世界的に有名になった初の米国人指揮者といえる▼1950年代に欧州で演奏会通いした人によると、静かなコンサートで雑音がしたりすると、少なからぬ観衆が「また（マナーを知らない）米国人が」と舌打ちしたそうだ。実際に米国人か確認もしないで▼日本に外国人観光客が急増するとともに、平気で道にごみを捨てるなどマナーの悪さが社会問題となっている。といっても、日本人も高度成長期以前には同様だった▼筆者の祖母が友人らと初めてハワイ旅行した際、水着を持参しなかったのでみんな下着でワイキキビーチに。米国人らは目を白黒させていたという▼外国人観光客らも世界旅行に慣れてくると、国際常識を持つようになるのではないか。あまり偏見で、めくじらを立てるのはマナー違反かも。

——2016年8月18日付

商売っ気

恐るべし「京都」。今年リニューアルオープンしたロームシアター京都（旧京都会館）で、ある公演を観賞した。驚かされたのは公演の内容ではない。飲料コーナーでコーヒーを注文した時だ▼連れが風邪気味だったので、薬を飲むので水が欲しいと言った。コーヒーを注文したカウンターで「水も欲しい」と頼むと「水はペットボトルを買ってください」ときた▼大阪、東京のホールを数多く訪れたが、こういうコーナーでは飲料は有料で水は無料が普通。まあ、仕方がないと購入することにしたが、何か納得いかない▼高級イタリアンでもなければ、ぼったくりバーでもない。ここは公共のホール。さすがにムッとしたが、ベストセラー「京都ぎらい」（井上章一著、朝日新書）の記述を思い出した▼雑誌で京都コンサートホールを撮影した時に、ホールに3万円を払わされたとある。肖像権もない公共の建物なのに何たることと著者は憤慨している▼県内のホールは収容人数が少ないのが多いせいもあるが、飲料コーナーはあまり見かけない。奈良らしい商売っ気のなさ。世の中難しい。

――2016年10月17日付

世界3大に見習う

——2016年12月1日付

世界3大ロック・ギタリストの一人であるジミー・ペイジが、東京の音楽イベントに出演したものの、演奏しなかったとして騒動、希望者にはチケット代払い戻しとなった▼弾くのか出演だけなのか契約の詳細がはっきりしないが、演奏を期待したファンは残念だったろう。調べるとペイジも72歳と高齢だ▼3大ギタリストの他の2人。ジェフ・ベックはペイジと同い年。エリック・クラプトンは2人の一つ下と、3人とも古希を過ぎている。ロックイコール若者の音楽とは言えない▼世界3大投資家はもっと高齢だ。ウォーレン・バフェットとジョージ・ソロスはともに86歳。最も若いジム・ロジャースでさえ74歳。長寿社会の日本でも驚きだが、3人とも、かくしゃくとしている▼もっとも、投資の世界は、体力はあまり必要でなく経験と決断がものをいう。日本で最後の相場師と言われた是川銀蔵が、約200億円の巨利を得たのは80歳を超えてからだ▼高齢化社会。才能、財力とも「世界3大」にはるか及ばない我々が見習うべきは、年齢に関係なく意欲的に生きることではないか。

消えてしまったデパートの大食堂

――２０１８年４月11日付

昼食で回転ずし屋を訪れたが、平日なのに満員で順番を待っている客が店外にまであふれている。そうか、きょうは入学式。式を終えてから来たとみられる親子連れが多かった▼親子で外食といえば先日、「なんで、デパートの大食堂がなくなったんだろう」と母に尋ねられた。「何でもそろっていたから、家族がそれぞれ好きなものをいただけたのに」▼一家そろってデパートで買い物するのが、休日最大級の娯楽だった時代。祖父母はそば、すし。親はカレーかオムライス。子どもはケチャップライスの上に旗が立ててあるお子様ランチ。昭和の懐かしい光景である▼大食堂は甦らないが、大阪・阪神百貨店地下、立ち食いの「フードパーク」が3年ぶりに復活するとの報道があった。大阪へ出掛け、小腹がすいた時によく利用したものだ▼名物いか焼きをはじめ百数十円からのメニューがあった。ある時、母親が子どもに「ここでは５００円でお腹いっぱい食べられるでえ」とうれしそうに話しているのを聞いた。平成になってかなりたっていたのに、昭和のぬくもりを感じさせてくれた。

使い捨てを見直す時代に

——2018年8月18日付

ファミリーレストランを運営するすかいらーくホールディングスが、平成32年までに国内外の約3200店でプラスチック製の使い捨てストローの使用をやめるという▼プラスチックごみによる海洋汚染が深刻化しており、環境保護の取り組みを強化するのが狙い。他の企業にも広がる可能性があるらしい▼ストローはほとんどが使い捨て。最近はあまり見かけないが、吸い口が2つあるカップルストローは、2本分が1・5本ぐらいですむので、環境によいのだろうか▼自身使ったことのないカップルストローの話はさておき、使い捨てを見直す時代になってきた。リサイクルの考えも国民の間に浸透してきたようだ▼最近オープンした大型リサイクル店を「探検」するのが楽しい。40年前製造のスピーカーや真空管アンプ、プレーヤーが、ほれぼれするような音を響かせる▼祖父母から、何でも「モノ」には魂がこもっているから大事に使いなさいと教えられた。八百万《やおよろず》の神が存在するという日本ならではの考えだが、モノに魂があるかどうかは使う人次第か。

チケット自販機にイライラし反省

——2018年11月15日付

近ごろ、暴走する老人が話題になっている。自動車の運転ばかりでない。態度が横柄で、すぐにブチ切れる高齢者が目立つのだ▼と冷徹になっていられない恥ずかしい出来事があった。あるシネコンで、筆者はチケット自動販売機の操作の煩雑さにカッとなって、機械に八つ当たり▼「そんなに乱暴に扱うと、かえって反応しませんよ」。横についていた女性従業員に注意され、「何でこんな面倒なことしなきゃならない」と怒鳴ってしまった▼上映時間が迫って焦っているのに、チケット売り場窓口が開いてなかった（従業員は何人もいた）のに腹が立ったこともあるが、暴走の言い訳にはならない。反省しきりである▼昨年公開された英国映画「私は、ダニエル・ブレイク」。初老のブレイクは体を壊し働けなくなるが、福祉制度が複雑で、パソコンの操作に疎《うと》い職人気質の彼は右往左往する▼今は飲食店でもタッチパネル注文が普及してきた。ネット万能社会は高齢者に優しくない。キレる方も問題だが、思いやりのサービスも必要では。ちなみにブレイク氏と小生は同年齢だった。

「おもいで新聞」

生命保険会社の外交員の訪問を受けた。契約者を回っているという。契約の確認のほか、何種類かの商品パンフレットを渡されたが、なかなか粋なプレゼントもあった▼「おもいで新聞」。契約者の生まれた年、10歳、20歳のころのニュースや出来事などが記載されている。懐かしい思い出とともに、あのころの記憶を甦らせてくださいとある▼筆者の生まれた昭和34年は「皇太子明仁親王、正田美智子さんと御成婚」がビッグニュースであり、この日のためにテレビを買った人が多かったという▼この年の流行歌は「東京ナイト・クラブ」。誕生年の歌であるのを意識せずに歌っていたようだ。コーヒー1杯50円、映画館入場料150円▼10歳の昭和44年は「月に人類初の足跡」。アポロ11号の着陸は、かすかに記憶に残っている。20歳(昭和54年)はソニーの「ウォークマン」が発売された▼今年は新しい元号がスタートする。今年誕生した子どもたちは何十年後に「おもいで新聞」を読むのだろうか。「いい年に生まれたなあ」と思ってもらえる年にするのは我々の責務だろう。

――2019年2月4日付

「安易、手軽」で失われたもの

――2019年6月2日付

「違いが分かる男の…」。かつて一世を風《ふう》靡《び》したインスタントコーヒーのテレビCFの名ナレーションだ。今なら「違いが分かる人の」とした方がいいだろう▼改良されるから何でも新しい方がいい。大量消費社会に育った我々は単純に考えがちだが、そうではない。時代を超えて輝くものがある▼ジャズバー「ブルーノートならまち」で、同じ録音をオリジナルレコードと再発のCDで聴き比べて、あぜんとした経験がある。レコードは音の奥行き、臨場感が圧巻だった▼また、今の映画館で見る作品は、かつての映画より美しくない。目と感性が衰えたせいかなと思っていたが、映画評論家の上野昂志さんと話す機会があり、意見が一致した▼デジタルで撮影された作品は、35ミリフィルム作品に比べて平板である。ただ、大型液晶テレビで見ると、両者の違いは分からない▼スマートフォンで気軽に音楽を楽しめる。デジタル撮影になって低予算で映画を製作できるようになった。しかし、「安易、手軽」によって失われたものは確かにある。

示唆に富む書

大型書店をのぞいていたら、奈良市出身のプロボクサー村田諒太さんの愛読書と宣伝されていた。「夜と霧—ドイツ強制収容所の体験記録」（V・E・フランクル著）である▼元世界王者は何が好みなのかと、30年ほど前に買ったのに放置してあった旧訳版を読んだ。数百万人ものユダヤ人らがナチスドイツによって虐殺された強制収容所の生き地獄がすさまじい▼著者はユダヤ系医学者。家畜扱いのような強制労働を綴る。自身または他の収容者、看守らの心理分析が秀逸。こんな中にも人間らしさを失わない人はいる。醜悪の中にある一縷《る》の清涼さが心にしみる▼昨年、当時の日本ボクシング連盟会長の不祥事が明らかになった際、村田さんが「夜と霧」の部分を引用したのを思い出した。現在の日本においても示唆に富む書だ▼王者から陥落した後、再起を期している村田さんは、この本から多くを得ているのではないか。「ひきこもり」気味な人に、ぜひ一読してほしい▼どんな状況におかれても「苦悩にふさわしく生きなければならない」。それが人間の尊厳である。

——2019年6月16日付

還暦同窓会の幸せ

還暦同窓会があった。中学を卒業してから45年。孫がいてもいなくても、みんなじいさん、ばあさんの域である。ただ、中身は、ほとんど変わっていないのが、うれしい▼中学の同窓会だが、小学校時代の恩師も出席してもらった。厳しい指導で知られていた男性教諭は、「今の時代なら、私は新聞ざたになっていただろう」と述懐▼もう時効だけれど、体罰、いじめなどはあった。しかし、何があっても、我が子は正しく、悪いのはすべて「教師、学校、教育委員会のせい」にする親は、ほとんどなかった、と記憶する▼参加者のスピーチに移った。ある女性のごく自然な「今、私は幸せで幸せで仕方がないんです」との言葉には驚くとともに、うらやましくもあった▼他界した同級生も何人かいる。出席したくても病気や生活苦で出てこれない人もいるだろう。「忙しくて同窓会なんか出ている時間がない」とは経済界で成功した同級生の弁らしい▼たいした人生は歩んでこなかったけれど、こうして同級生と楽しい時間を分かちあえる「大さじ一杯」くらいの幸せはあるのかな。

――2019年8月4日付

みなさんに感謝です

――2019年8月25日付

母と娘の2人でやっている小さなバーがある。最近、27年前製造という空調機の調子が悪くなった。いったんは応急修理したが、営業直前にまた動かなくなった▼夜間といっても猛暑である。急いで扇風機を買って来た娘は「意地で営業します。ご迷惑をおかけしますが、よろしくお願いします」とSNS（会員制交流サイト）で発信した▼「頑張れ」「大変」励ましの言葉が相次ぐ中、「ムリ！」と冷たく言い放った常連客の一人。ところが、「暑いなあ」とぼやきながらやってきたらしい▼しばらく顔を見せてなかった客は「エアコンが壊れてるから来た。正常なら来なかったよ」とつぶやきながら、やって来た客一人一人に「ここは暑いですよ」と了解をとっていたという▼その夜は気温があまり高くなかったこともあるが、暑いと文句を言う客はほとんどなかった。酔いで感覚がまひしていただけではあるまい▼「みなさんに感謝です」と娘。真夏の暑さを上回った人の温かさ。幸いにも部品が手に入り修理完了、骨董品のエアコンも快調になった。

一人カラオケ

年末にカラオケボックスの優待券期限が迫り、一人カラオケを体験した。仕事をリタイアした高齢者の間で密かなブームを呼んでいるという▼自分の好きな時間に一人で気軽に楽しめるのはいい。久し振りにボックスに行って、カラオケ機器の進化に驚かされた。音質ではない。採点機能だ▼音程、リズムやビブラートなどを測定するのは以前の機器にも備わっていたが、最新のはもっと詳細。「なんじゃあ、こりゃあ」と、感嘆したのは寸評してくれること▼まず、カラオケでは初めて披露する曲を歌ったが、「勝手に自分のアレンジで歌いすぎ。正確に…」ときた。悔しいけれど、その通りだから仕方ない▼リベンジの意味で、歌い慣れた曲を。これも正確性にはやや欠けていたが、「歌に気持ちがこもっています。楽しそうですね…」というような評で、表現力が加点された。人間以上に人間味がある審査員だ▼採点機能にどこまでＡＩ（人工知能）が入っているのか分からないが、技術は日々進歩していると痛感。まあ、「おだてりゃ、木に登る」気味かも知れないが。

――２０１９年12月30日付

衰えを知ること

老母が「スーパーで、どこのおばあさんかと思ったら、鏡に映った自分の姿だった」としょげていた。心は若い時のままであっても、肉体はそうはいかない▼作家の塩野七生氏がしばしば引用するカエサルの言葉がある。「人ならば誰にでも、現実の全てが見えるわけではない。多くの人たちは、見たいと欲する現実しか見ていない」▼県内で運転免許を自主返納する高齢者（65歳以上）が増えている。令和元年の返納件数は6993件で、統計のある平成20年以降で最多を記録した▼返納件数が増えているのは、全国的に高齢ドライバーによる交通事故が相次いでいるためだ。事故を起こさないかと不安な人が、運転を断念しているのだろう▼加齢による運動神経の衰えは誰にもある。「他の高齢者とは違い、自分は運転が上手《うま》い」と、見たいと欲する現実しか見ていない人は多いのではないだろうか▼「無知であることを知っている人間は、知らない人間より賢い」とのソクラテスの名言を、「自分の運転能力の衰えを知る人は…」と変換できるかも知れない。

——2020年1月12日付

退職祝い

入社祝いは日本でも一般的だが、英国では勤めをリタイアした人に贈る退職祝いがあるという。日本では、そんなプレゼントを喜ぶ人は、あまりいないだろう▼引退後にガーデニングに精を出して、推理小説を愛読するのが英国人の理想と聞いた。勤勉な日本人はそうはいかない。仕事が生きがいで、退職後は老け込む人が多い▼国も「人生百年時代」と、高齢者の勤労を奨励する。もっとも、意地悪く見れば、できるだけ働かせて、年金の受給年齢を遅らせようとする意図もあるのかも▼一方、老後の生活が不安で、働きたくなくても働かざるを得ない人もいる。長寿社会はいいが、それだけ蓄えも必要なわけだ▼この3月末に定年となり、「これからはラ・ヴィ・アン・ローズ（バラ色の人生）だよ」と楽しみにしていた遊び好きの知り合いがいる▼海外旅行、コンサート、プロスポーツ観戦といろいろ計画していたところが、コロナウイルス禍により「ラ・ヴィ・アン・ノワール（黒い人生）」になったとか。「やまない雨はない。明けない夜はない」と慰めている。

——2020年3月25日付

なくてはならない靴下

——2020年6月10日付け

地味な衣料ながら、毎日の生活になくてはならない靴下。縁の下の力持ちともいえる。「生産量日本一」を誇る広陵町に靴下博物館がオープンした▼町の靴下生産は、明治43年に馬見村（現広陵町）疋相《ひきそ》の吉井泰治郎が手回しの編み立て機を購入し、木綿の機《はた》織りに代わる農家の副業として開始したという▼戦後、地場産業として飛躍的に発展した。博物館は町内のオリジナル商品を扱う事業者の商品を展示しているほか、日本と町内の靴下作りの歴史年表や生産の行程を紹介。7月からは販売も開始する▼シルク、コットンの自然素材や5本指の健康靴下など様々な種類の商品が並び、濃淡、鮮やかな色彩が目を引く。「真におしゃれな人は（一見目立たない）靴下に凝《こ》る」とも言われるのも納得だ▼随分前になるが、県産の靴下を扱っている小売りの人に聞いた話だ。海外赴任中の娘に、日本から欠かさず靴下を送り続けている常連客がいた▼「日本の靴下は良質で、洗濯しても伸びないといって喜ぶのです」。小さな靴下に、古里の母のぬくもりも込めることができたのだろう。

自由に空を飛ぶのは

自由に空を飛ぶのは人類の憧れである。イタリアルネサンス期の天才、レオナルド・ダ・ヴィンチは、すでに16世紀にハンググライダーやヘリコプターに似た器具の概念図を考案していた▼遠方への移動手段として飛行機が利用される現代日本でも憧れは変わらない。それが証拠に男子の名前に「翔」や「翼」をつける人がやたら多いではないか▼といっても、飛行機の免許は自動車と違って容易ではない。数百万の費用と2、3年の時間がかかるという。免許が取れたとしても飛行機を保有維持するのが超難関だ▼日本で生涯、操縦できそうもないのでグアム島を訪れた際、体験飛行でセスナを操縦した。「このままではあの山に衝突しますよ」と言われても緊張感で固まって動けなかった▼もちろん、横の本物の操縦士が替わって操縦してくれたので、事なきを得たが、冷や汗ものだった。もっとも、高所恐怖症気味の人間が挑戦すること自体、無謀だったのだが▼新型コロナウイルスによる減便の余剰機材で航空各社が「遊覧飛行」に取り組んでいる。爽快感を味わってストレスを発散したい。

――2020年9月23日付

有―無を超越した「無」

――2000年5月10日付

禅宗で参禅者らに悟りを開かせるために考え出される問題が公案。その一つ。趙州和尚（中国・唐時代の有名な禅僧）に、ある僧がたずねた。「犬には仏性があるのですか」。和尚は「無」と答えた▼仏教では、生きとし生けるもの全てのものに仏性があると教えている。犬や猫、ハエやカにも仏のいのちが存在しているのである。だとすれば和尚は「有」と答えるのが正解ではないか。と考える人が多いのではないだろうか▼公案について、いろいろ解釈できそうだが、一つの答えはこうだ。仏性はこれにあってあれにないということはない。いちいち確かめなければならない仏性であれば無いのと同じこと。趙州が「無」としたのは、有―無を超越した「無」で「絶対有」なのだそうだ（「禅が分かる本」、ひろさちや著、新潮選書から）▼私たちはテストを受け、「何点」という点数でランク付けされることが多い。そんな相対評価に慣れてしまっている。犬の仏性をたずねた僧も、人間は大きく、犬は小さいなどと、相対的な評価をしようとしていたのだ。人間ばかりでなく、あらゆる生き物に生きる意味がある▼報道によると、愛知で64歳の主婦を殺した容疑者の少年は「若い未来のある人は（殺しては）いけない」などと供述した。前後の言葉があるはずで細部は正確でないかもしれないが、少年は本来、絶対的であるはずの人間の生の価値を、相対評価していたのではないか
▼この事件や西鉄バス乗っ取り事件に対応するため、文部省のプロジェクトチームや、専門家会議を発足させ、教育面の対応策を検討することになった。心の教育が早急に求められている。

女子高生の会話から

――2002年2月8日付

朝の通勤電車。制服姿の女子高生2人の会話が聞こえてきた。「土曜日から3連休や。うれしいなあ」。とここまではいい。「3日間、ずっと飲み明かすねん」。「あっ、私も同じ。大阪の難波で」。これには、あ然とした▼まず、この子らの保護者の立場を考えた。毎晩、娘が酒を飲んで帰って来る（外泊かもしれないが）。当然、酒臭い。ここで注意しないのだろうか。次に酒を提供する店。相手はどう見ても十六、十七である。金もうけなら誰にでも酒を飲ませるのか▼道徳論を展開する気はない。ただ、女子高生の連休の一番の楽しみが「3日間、飲み明かすこと」なのが悲しいのである。近年、この国が子どもらをいかに甘やかせているかを垣間見た。昔から日本は子どもを大事にする傾向があるが、大事にするのと甘やかすのとは、まったく違う▼最近頻発する青少年犯罪の原因の一端が、ここらあたりにあると指摘するのは短絡的だろうか。若者向けのテレビ番組、商品が世の中にあふれている。社会、メディア全体が若者に媚《こ》びている▼逆に年を取ると、一方的に何かを無くしてしまうように思いがちだ。リストラなどで自信を無くす中高年が増えているのも無理はない。そんな中、橿原市の元高校教師、坂梨照子さん（72）が最高齢で県立医大の博士号を授与されたのは、中高年に希望をもたらすニュースだった▼「徒然草」で吉田兼好は「年老いると、知恵は若い時を上回るものだが、それはちょうど若くして容貌がまさっているのと同じことである」（山崎正和訳、学研文庫）と記している。人生の知恵で上回る中高年は、もっと自信を持って、未熟な若者を叱《しか》ろう。

文化・歴史・教育

熟年作家のすすめ

文武両道に秀《ひい》でながら謀反の罪をきせられ非業の死を遂げた大津皇子。彼の死を悼《いた》んで姉の大伯皇女《おおくのひめみこ》が詠んだ「万葉集」の和歌はあまりにも有名だ。今年はその悲運の皇子誕生１３５０年にあたる▼彼を主人公とした小説「大津皇子～二上山を弟《いろせ》と」（青垣出版刊）を、香芝市の上島秀友さん（58）が出版した。大津皇子の死は謎《なぞ》の部分が多いが、上島さんは独自の視点で歴史ロマンを展開する▼上島さんの本業は公務員だが歴史に造詣が深く、出版した歴史書は専門家の評価が高い。フィクションのこの小説であっても、これまでの知識の積み重ねが生きている▼上島さんのように豊富な社会経験を積んだ上で、小説、エッセーなどを執筆する熟年層が増えてきている▼記憶力などは若い人の方が優れているだろうが、想像力は歳をとっても衰えないし、構成力はむしろ上達するのでは▼「若くから小説家のみで生活するのは無理。余裕のできた中高年の方がむしろ小説を書くのに適している」との意見もある。若いころ小説家を夢みた人、今からでも決して遅くはない。

――２０１３年11月13日付

公務員の枠を破る人

だらだらと無気力に仕事をしていた市役所の市民課長が、病気のため余命いくばくもないことを知り、生まれ変わったかのように懸命に最後の仕事に取り組む。62年前に製作された黒沢明監督の傑作映画「生きる」のあらすじだ▼俗に役所仕事は「休まず」「さぼらず」「働かず」と言われたものだが、時代は移り、今はそうはいかないだろう▼しかし、「前例がないことはしない」形式主義は、今もはびこっているのではないだろうか。が、数は少ないものの、新しいことにチャレンジする公務員の姿もある▼全国の支援者5千人が復興への思いを込めて被災松にのみを入れた「あゆみ観音」の奉納法会が11日、岩手県陸前高田市で行われた。當麻寺中之坊の松村実昭院主が中心となった実行委員会が届けた▼観音づくりは、葛城市の職員西川好彦さんが、復興支援で陸前高田市に派遣されたのがきっかけだ。派遣後も「被災地のために何かできることは」と常に考えていた西川さんの思いが実った▼西川さんのように公務員の枠を破る人が多くなると、日本はもっと面白くなる。

――2014年7月24日付

中近世史の名探偵

明日香村の小山田遺跡でこのほど見つかった古墳は、被葬者が誰なのか。県橿原考古学研究所は舒明天皇の初葬地との見方を示しているが、学者らの中には蘇我蝦夷《えみし》墓説のほか、墓ですらないとする人も▼現地説明会には、明日香村の人口を超える約8千人の歴史ファンが全国から集まった。自分なりに被葬者を推理した「名探偵」も多かったのではないか▼古代史の持つ魅力の一つが、ミステリー的な要素。卑弥呼や邪馬台国にしても、はっきりとした場所や人物像が分からないからこそ、謎解きに挑む論争が尽きない▼古代史ファンが、歴史遺産の宝庫である奈良の地に魅了される理由が分かる気がする。しかし、奈良の歴史は古代ばかりではない▼信貴山観光協会が戦国武将、松永久秀の居城であった信貴山城跡の保全研究会を設立した。信長が所望した茶釜を抱いて、久秀がこの城で爆死したとされる劇的な場所だ▼奈良はこのように、中世や近世の歴史が、古代の陰に隠れてしまっているのがいかにも惜しい。名所発掘の「名探偵」が登場してくれないものか。

――2015年1月28日付

メモと知的好奇心

記者という職業柄、ノートにメモを取ることが習慣となっている。最近はボイスレコーダーやスマートフォンで話を録音する記者が多くなってきたが、再生して文にするのに時間をとられるので個人的に好まない▼海外のプロサッカーチームの監督には、英国の名門マンチェスター・Uのファン・ハール氏のように試合中、気付いた点をメモする人が目立つ▼中山正善天理教二代真柱は、1964年東京五輪で柔道正式種目採用の陰の功労者とされ、文化、スポーツの分野で大きな足跡を残した▼「雪に耐えて梅花潔し」（永尾教昭著、道友社）を読み、中山二代真柱が国内でも海外でも常にメモを取ることを欠かさなかったことを知った▼宗教家であれ何であれ、組織のリーダーが頻繁にメモするのは滅多に見かけない。見かけの恰好《かっこう》を気にすることより、知的好奇心の方が勝っていた人だったのだろう▼人の記憶力には限界がある。忘れないようにメモするのは大切。ただ、小生は悪筆で、後で自分の書いた字が何か分からなくなる場合がある。併せてペン習字を学ぶべきかも知れない。

――2015年5月27日付

加賀百万石のプライド

北陸新幹線開通で注目されている金沢市（石川県）を先週末に訪れた。首都圏を中心に、全国、世界各地からの旅行客でにぎわっていた。気付いた点がいくつかある▼まず、駅に到着して驚かされるのが、ガラス3千枚以上を使用した巨大なもてなしドームと、鼓《つづみ》をイメージした鼓門。近代的なホテルも多い。駅前はやはり都市の顔だ▼金沢の台所、近江市場は、岩ガキやボタンエビなど海鮮の食材が並び、海鮮丼や回転寿司には長い行列ができていた。金沢は美食の街▼伝統料理だけでない。繁華街には金沢おでんや金沢カレーなるB級グルメっぽい店も目につく。奈良も伝統料理ばかりではなく、新しい食を開発しなければ▼江戸時代の色町である茶屋町も残り、料亭や置屋は今も営業しているところがある。全体の雰囲気が京都に似ている。北陸の小京都と言われるのも分かる▼ただ、現地に単身赴任している友人によると、地元の人は「京都のまねじゃない」と怒るそうだ。加賀百万石のプライドだろう。奈良県民はもっと日本のふるさとの地である誇りを持たねばいけないのかも。

――2015年7月31日付

妖怪キャラの思い出

真夏といえば、お化け。県内のショッピングセンター、スーパー銭湯で期間限定の「お化け屋敷」が出現し、家族連れらを楽しませている記事が本紙にあった▼人以外が化けて出たのが妖怪。日本で最も人気のある妖怪は、水木しげる作の漫画「ゲゲゲの鬼太郎」だろう。正義の妖怪である少年・鬼太郎と悪い妖怪との戦いを描いている▼鬼太郎のほか、ねずみ男、砂かけばばあ、子泣きじじいら妖怪キャラが登場。近所や同級生に「ねずみ男みたいなヤツ」「砂かけのおばはん」を見かけた人は多いのでは▼水木の人間観察の鋭さが作品に反映されているのだろう。水木夫人の伝記をテレビドラマ化した「ゲゲゲの女房」は、生駒市生まれの女優、松下奈緒が主演した▼鬼太郎ほどポピュラーではないが、妖怪主演のアニメに「妖怪人間べム」がある。人間として生み出そうとされた人造人間、人間と妖怪の間の存在だ▼安倍晋三首相の祖父である岸信介元首相は、人間離れしたスケールの大きさゆえか、得体の知れなさゆえか、「昭和の妖怪」との異名をとった。孫の方はどうだろうか。

――2015年8月8日付

「ありがとう」あれこれ

中高年なら観たことのある人は多いだろう。最高視聴率56・3％を記録した昭和40年代を代表するテレビドラマ「ありがとう」が、5日からBS12で再放送される▼「さわやかに恋をして、さわやかに傷ついて」と主演・水前寺清子が歌った主題歌が、いまだに筆者の耳にこびりついている。ホームドラマの完成型だった▼家族そろってテレビを囲んでいた時代の作品。核家族化、価値観が多様化した現代の若者に、このドラマを観た感想が聞きたい気がする▼「ありがとう」といえば、タレントの浜村淳のキャッチフレーズでもある。感謝の気持ちを表す一言は、人にさわやかな印象を与える▼取材で多くの高校を訪れたが、来校者へのあいさつが徹底されていたのは、県立O高校と市立T高校だった。先生方のマナー指導が功を奏したのだろう▼知らない生徒らから次々と「こんにちは」と一言かけられると、小生のようなあまのじゃく人間でも、さわやかな気分になる。2校とも近年、周囲の評価が急上昇しているという。たかが一言、されど一言。

――2015年10月5日付

「心に残った音」は？

――２０１５年12月20日付

　芭蕉の句としてあまりにも有名な「閑《しず》かさや　岩にしみいる　蝉《せみ》の声」。音に対する日本人の鋭い感受性を表している。蝉の鳴き声は、西洋人にはただの雑音にしか聞こえないそうだ▼補聴器などのメーカー、リオンの「心に残った音」調査２０１５年版によると、今年のアンケート１位は「ラグビーＷ杯カップにおける日本代表選手の歓喜のおたけびや拍手、歓声」だった▼歓声といえば、先日の奈良マラソンで、沿道やゴール付近での「頑張れ、頑張れ」の応援コールも出場者にとっては心に残った音だったろう▼ただ、心地良い音だけではない。アンケートの２位は「暴風雨の音」、３位は「安保法案に関する国会内での喧噪《けんそう》・怒声」だ▼年を取ったからかも知れないが、たまに大都市の繁華街に出掛けると、人の多さ、騒音にうんざりしてしまう。静かさは奈良の長所の一つだろう▼人気の高級チェーンの旅館では、あえて部屋にテレビを置かない。芭蕉の美意識は現代でも生きている。今の時代、静かさを味わうのが最高のぜいたくかもしれない。

食育は深く広い

——2016年1月28日付

普段は外食派なのだが、冷蔵庫の食材を無駄にしたくないため、数十年ぶりに自家製の弁当を作って出社した。ありきたりの弁当でも手作りの味がして、意外とおいしくいただけた▼普段は給食を実施している小学校の高学年が、自宅で自分が作った弁当を持って来る弁当コンクールの取材をした経験がある。食育の一環だそうだ▼地産地消のため野菜など地元産の食材をメニューに入れる取り組みがあった。栄養の面はもちろん、見た目にも配慮されたアイディアいっぱいの弁当が並んでいた▼今週は全国学校給食週間。県内各地で県産食材を活用した学校給食の試食会などが開かれている。学校給食は年々、進化しているのだろう▼こうして食にこだわることができる我々は幸せかもしれない。大岡昇平の短編小説「食欲について」には、太平洋戦争の生死をかけた極限状況の中で、食について固執した兵隊が登場する。悲喜劇のような作品だった▼戦下のシリアは言うに及ばず、今も世界には飢餓に直面した人たちが数多くいる。食育で学べる内容は深く広い。

太田房江さんの「土俵入り」

――2016年2月4日付

大阪府知事時代に優勝力士を表彰するための土俵入りを熱望しながら、「女人禁制」の伝統に阻まれた太田房江参院議員がこのほど、葛城市相撲館「けはや座」で悲願を達成した▼吉本興業と市民らによる劇団の芝居「勝つ！當麻蹴速《たいまのけはや》！」で架空の古代日本相撲連盟理事長役で出演。サプライズに観客も沸き、「こういう機会が訪れるとは」と本人も大喜び▼女性が上がれる同館土俵をPRしようと、同館脚本の打ち合わせで相撲館名誉館長の河内家菊水丸さんが、太田さん役を提案した▼実はあくまで似た人をスカウトする話だったが、相撲館職員が「本人に依頼します。探すのは本人が出演できなかったら」と依頼文を送った▼年末に出演の連絡があった。周囲はもちろん、太田さんと親交のあった菊水丸さんも快諾に驚き、劇団員は稽古により一層の力が入ったという。相撲館職員の情熱と太田さんの思いが結びついたのだろう▼この創作劇は「日本書紀」の記述（日本初の天覧相撲）とは逆に、當麻蹴速が野見宿禰《のみのすくね》に勝利する筋書きだが、太田さんの土俵入りも大逆転劇だったのでは。

漢字を覚えない子ども

実際に字を紙に書かないでパソコンばかり使っているため、忘れてしまった漢字が多くなった。と、ぼやいていたら、ある教育産業関係者が「忘れたのはまだいい。最近は漢字を覚えない子どもが増えた」▼先生の授業をノートにとらない、とれない子どもが目立つのだそうだ。極端な例かも知れないが、日本人の漢字力、国語力の将来に不安を感じる▼そういえば、大人でも何かを書いてメモするより、カメラ付き携帯電話で撮影したり、ボイスレコーダーで録音する人が圧倒的に多くなった▼前述のパソコンを含め文明の利器は確かに便利ではある。しかし、漢字の習得のように愚直な努力をしなければ身につかないものもあるのではないか▼「字は書いた人の性格を表す」という。達筆（読みやすいとは限らない）あり、筆者のような悪筆あり、字には人それぞれの特徴があるからこそ筆跡鑑定もできるのでは▼みんながみんな字が同じなのは、顔が同じであるのと同様に気色悪い。デジタル全盛時代だけれど、字を書く、漢字を覚えるように残さなければならない文化はある。

――2016年3月14日付

小学校のタイムカプセル

人間の記憶は曖昧だが、十数人もそろってとは。筆者の小学校同窓会で話題になったタイムカプセルの話だ。「小学5年生ごろに校庭に埋めた」と▼「そんなことしなかった」「ある学級で埋めたので学年全体ではない」とか、けんけんごうごうとなった。確かめようにも場所がはっきりしない▼本当に埋めたのなら看板ぐらいあるはずだ。ところが、校庭の改修工事で撤去されたと言い出す者もいる。卒業生だからといって勝手に校庭に穴を掘るわけにもいかず、真相は藪の中▼昭和45年大阪万博のころ、タイムカプセルを埋めるのが全国的にブームだった。万博のテーマは「人類の進歩と調和」。何十年先にはバラ色の未来があると夢みていた▼その昭和40年代、大にぎわいだった遊園地、奈良ドリームランド。10年前に閉園され、「夢の残骸」として遊具、建物が残されていたが、解体作業が来月から始まるという▼侵入者が多いための安全対策だそうで、跡地利用は未だ決まっていないらしい。小さいころから親しみのある土地、ぜひ有効利用され「夢の続き」を見させてほしい。

――2016年9月24日付

1300年前の日本酒

――2016年11月8日付

1300年前の酒は甘くて濃かった。といっても、大昔の酒が残っていたわけではない。奈良時代の皇族、長屋王邸宅跡から出土した木簡の記述を元に再現した酒だ▼中本酒造店（生駒市）の杜氏《とうじ》の谷山誠さんが、日本酒研究者から提案され取り組んだ。木簡に記載されていた6種類のうち一つの米やこうじ、水の配合を選んだ▼現代の酒に比べ、水が少なく、こうじの量が多いため極甘に出来上がった。最近の日本酒は辛口が脚光を浴びているが、試飲会では左党から好評だったという。酒のルーツも奈良にある▼「日本酒は誤解されています」と県内酒造メーカー関係者から聞いた。酒に親しんだばかりの若い年齢で、廉価で粗悪な日本酒を大量に飲み、悪酔いした経験のある人は多いのだそうだ▼筆者には頭の痛い話。しかし、近年の奈良の地酒はレベルアップが著しいのではないか。私見だが、量より質を求めた酒が多くなった▼東北には東北の酒。奈良には奈良の酒。味覚の秋には「地酒で乾杯」といきたい。もちろん、適量、飲酒運転厳禁は言うまでもない。

折り鶴に托す平和

外国へ行ってホームステイなどで現地の人と交流する場合、折り紙を持って行くと喜ばれるという。一枚の紙から鶴やかぶとを生み出す日本人の器用さが賞賛されるとか▼日本の折り紙は7世紀末の故事に起源がみられ、日本の文化として江戸時代に庶民の間で普及、現代まで親しまれてきた。長い歴史が器用さの元か▼県立美術館は禅関連の企画展（10、11月）に合わせ、日本文化に親しもうと折り紙体験イベントを開いた。その中で平和への願いを込めた千羽鶴作りを呼び掛けた▼オバマ米大統領が広島に贈った折り鶴が話題となっていた時期でもあり、同展に来場した人たちの関心も高く、観覧者総数の約1割以上、1415人分の計2千羽が集まった▼今月6日に同館広報大使の歌手・川本三栄子《さえこ》さんらが千羽鶴2束を広島市に持参。市平和推進課の職員に託し、平和記念公園の展示ブースにつるされた▼美術館といえば平和運動とは縁遠いように思いがちだが、平和なくして芸術はない。老若男女、様々な人々の平和への願いが形となった取り組みの意義は大きいのではないか。

――2016年12月19日付

手書き原稿と「社内三悪筆」

高校時代の苦い思い出である。学校から生徒の家庭へ事務連絡のはがきが来た。それを見るや、父がいきなり「おまえとこの学校、こんな程度の低い事務員を雇ってるんか」と怒った▼あて名の字があまりにも稚拙だったらしい。「いや、それは生徒が書かされた。おれが書いたんやけど」。これを聞いて父は黙り込んでしまった。親不孝だ▼エピソード2。奈良新聞に入社して新米記者のころ、デスクが筆者の原稿（手書き）を見て「お前、ちゃんと昼めし食ったんか」と質問してきた▼実は忙しくて食べる間がなかった。「食べていません」と答えると、「そうだろ。だから力が入ってない、こんなヘナチョコな字になるんや」と怒鳴られた▼当時は、汚い字の原稿だと読まれないで、ごみ箱直行もあったらしい。もっとも、注意した当のデスクが、社内三悪筆の一人だったというオチがある▼悪筆はいまだに矯正できていないが、読む人の気持ちを考えて丁寧に書かなければ。美しい字は日本の文化だ。

――２０１７年2月9日付

マナー教育は重要

報道で知って、情けない気持ちになった人は多いのではないか。サッカーのJ2リーグ戦で徳島の選手がボールボーイを小突いて一発レッド(退場)となった▼試合の補助をボランティアでしている少年に対してである。選手は少年の動作が遅く感じたので腹が立ったそうだが、常識外れの暴挙だ▼ボールボーイ役をするからには少年サッカーの選手だろう。憧れの存在であるJリーガーから暴行された少年の気持ちを考えると心が重い▼少年にはその後、審判や他の選手から声掛けやフォローがあったようだ。しかし、徳島のサポーターが試合後、別のボールボーイにアルコールのような液体をかけたという▼「だから、小さいころから『しつけ』が必要なんですよ」と教育勅語信奉者から言われそうで、個人的には気分が悪い。ただ、教育勅語問題とは別に今の世の中、マナー教育は重要だ▼大阪場所の際、県内に合宿する鎹山《しころやま》親方は弟子・豊真将《ほうましょう》引退で「礼で始まり、礼で終わる相撲道を体現した」と称《たた》えたが、相撲だけでなく、全てに通じるだろう。

――2017年5月2日付

レッテル貼りは危険

――2017年7月16日付

富山市の機械メーカーの会長が「富山で生まれた人は極力採らない」と記者会見で発言し、波紋を呼んでいる。同県出身者は「閉鎖的な考え方が非常に強い」というのだ▼本県から遠い県なので、県民性には詳しくない。しかし、富山といえば全国に薬を売り歩いた配置薬の産業で知られる。一様に閉鎖的と指摘するのは奇異な気がする▼奈良の県民性は「温厚、のんびり」とされることが多い。それによって企業の担当者から「競争に向いていない」と採用されないようなものだ▼個人個人をひとくくりにして、あるステレオタイプのレッテルを貼るのは、とんでもない危険な考え方だ。イスラム教の国イコールテロリストもそうである▼イラン人監督ファルハディ氏の映画「セールスマン」を見た。近代化する首都テヘランを舞台とした心理サスペンス。「イスラム独特の風習、生活があるのでは」との先入観が吹き飛んだ▼都市に暮らす人々は、我々と同じように働き、苦しみ、悩み、笑い、涙する。〝イスラム逆風〟の米国でアカデミー外国映画賞に輝いたのは、良識の勝利だろう。

幻の復曲能「重衡」上演

オリックスのマレーロ選手が、プロ野球通算10万号の記念すべき本塁打を放った。実はマレーロ選手は、来日早々6月の初本塁打が本塁を踏み忘れ無効（三塁打）となっている▼もし、あの時にベースを踏んでいれば、10万号は10万1号目となっているはず。めぐり合わせとは面白いとプロ野球ファンの間で話題だ▼平安時代に東大寺大仏殿などを焼き討ちした武将、平重衡《しげひら》を題材にした幻の復曲能「重衡」が14日、因縁の奈良市で18年ぶりに上演される。大仏さんを焼いたのだから、県内では重衡への反発が強かったのは当然だろう▼もし、重衡が東大寺を焼失させなかったなら、歌舞伎の「勧進帳」は生まれなかった。弁慶・義経一行は東大寺再建のための勧進（寄付集め）とは偽れない▼もし、都知事選で小池百合子都知事率いる都民ファーストが自民に圧勝しなかったら、小池氏の希望の党に民進党などが合流しただろうか▼その前に、もし安倍首相が衆院解散をしなかったら。いや歴史に「もし」は禁物。ただ、くれぐれも弁慶の読み上げた勧進帳のような中身のない選挙戦にはならないように。

——２０１７年10月１日付

青春の「高専ロボットコンテスト」

――2017年11月15日付

「ロボットは人間に危害を加えてはならない」「ロボットは人間に与えられた命令には服従しなければならない」「ロボットは自己を守らなければならない」▼SF作家アイザック・アシモフが「わがロボット」の中で設定したロボット3原則。67年前の作品だが、科学が驚異的に発展した今も原則通用するようだ▼日本人に親しみのあるのは、手塚治虫原作の漫画「鉄腕アトム」だろう。筆者と同様、正義感あふれるロボットの活躍に夢中になった人も多いのではないだろうか▼自動車を組み立てる工業用ロボットのほか、部屋の掃除など現在は日本社会のいたるところにロボットが使われている。特にロボットが従業員を務めるホテルの存在には驚かされた▼このほど出版された「闘え！　高専ロボコン」（萱原正嗣著、KKベストセラーズ）には、奈良高専をはじめとする全国の高専生の「ロボットにかける青春」の熱い思いが紹介されている▼「仏作って魂入れず」とのことわざがあるが、ロボットを作って魂を入れる入れないは、やはり人間の仕事だ。

運動部活動の在り方を考える

——2018年1月18日付

「教師になって初めての担任となったのが、君たちの学年。印象深い」と中学の恩師。バレーボール部の顧問だったが、自身競技経験がないにもかかわらず、鬼の形相で猛烈指導し、好成績をもたらせたのを思い出す▼四十数年前の話で、当時はスポ根漫画の全盛期。強豪の体育部顧問、生徒は練習、試合に明け暮れ、休日はほとんどないというのは常識だった▼運動部活動の在《あ》り方を議論するスポーツ庁の検討会議で、中学校の活動を週2日以上を休養日、時間制限などをするガイドラインの骨子案が示された▼「休みがとれない」。学校の運動部活動は教員にとって大きな負担となっている。昔の教師は強靭《きょうじん》だったと懐かしむつもりはない。現在、教師の雑務は多すぎ働き方改革は時代の流れだ▼ただ、体育部活動の大きな目的の一つが勝利による達成感である以上、一律で練習時間を制限するのはどうなのか。「ゆとり教育」の二の舞になりはしないか▼東京五輪金メダルの日本女子バレーボール、大松博文監督の名文句は「黙って俺についてこい」だが、ここは黙ってないで考えよう。

進化する人権意識

最近、読んだエッセーで大きなショックを受けた。「文豪文士が愛した映画たち」（ちくま文庫）に掲載されていた日本推理小説の父・江戸川乱歩の作品（昭和31年）だ▼来日したサスペンス映画の神様と言われたヒッチコック監督と乱歩らが座談会をした。その中でヒッチコックが、創作した小話を披露する▼概略はこうだ。南米を旅している一人の男が、豪邸に泊めてもらう。暗い夜に寝ていると若い娘が忍び込んで来て、男とねんごろになる▼実はその女性はハンセン病だったという落ちを話すと、聞いていた「女たちはキャーと悲鳴をあげた。男たちも大声で笑いながら、胸をムカムカさせた」と乱歩は記述する▼ハンセン病について差別的な内容すぎてあぜんとしてしまった。しかも、尊敬するヒッチコックと乱歩が、と驚いたが、これが60年前の人権意識なのだろう▼今の時代では考えられない。一昔前と比べ日本を含め世界中で格段に変化、いや進化しているのは人権意識ではないだろうか。セクハラ、パワハラを擁護する人々は、進化をやめた恐竜のようなものかも知れない。

――2018年5月9日付

朝の読書で生活にリズム

――２０１８年９月３日付

まだまだ暑い日が続いているが、9月は秋である。スポーツの秋、芸術の秋、食欲の秋と、何をするにも適した季節がやってきた▼朝の読書を続けている。老眼になり、夜に読書をするのがきつくなってきた。加齢により眠りが浅くなっているので、早起きが苦にならないのも理由だ▼自己満足かも知れないが、朝の読書により1日の生活にリズムが生まれた気がする。朝起きて新聞を読まなければ1日が始まらない人と同じだろう▼買ったのにタイミングを逸して、まだ読んでない25年前発売の小説が本棚の隅から出てきた。価格を見たら今の小説とほとんど変わらない▼長らくのデフレの影響か、最近は全般的に書籍の売れ行きが悪いから、出版社は高い価格設定にできないのか。本好きにとってはありがたい▼それに、本のリサイクル店もある。出版されたばかりの本が並んでいる場合もあるし、古い本なら驚くほど安い。図書館で借りる手もある。考えてみれば読書は懐に優しい趣味だ。ただ、座って読める大型書店で、1日中「ただ読み」している人にはレッドカードを。

怖かった菊人形が復活

昭和の秋の風物詩が復活する。県は27日から「天平菊絵巻―文化・芸術の伝来」を奈良市内3会場で開催。約3万輪の菊の花で飾り、春日野会場では懐かしい菊人形が登場する▼平成16年に閉園した近鉄あやめ池遊園地で、昭和29年から62年まで秋に開かれていた菊人形展。菊の花や葉を人形の衣装に細工して数多く展示してあった▼「華やかできれい」と祖父母は喜んで毎年訪れていたが、連れられた幼い筆者はどうもなじめなかった。人形の顔が何となく不気味で、早く展示場から逃げ出したかった▼映画「犬神家の一族」で、菊人形が連続殺人事件に絡む有名なシーンがある。同作品を見て「やはり菊人形は怖いものなのだ」。我が意を得たりと、うなずいた▼もっとも、昭和の時期は祖父母のような菊人形賛美派が多数だったのだろう。今回の復活劇は荒井正吾知事の原案によるのだそうだ▼遣唐使船で中国に渡った阿倍仲麻呂、吉備真備、玄昉《げんぼう》の人形が菊に飾られた姿で登場するのだが、平成世代や外国人観光客らに「昭和の美」がどう評価されるのだろうか。

――2018年10月14日付

時代とともに変遷する教科書

昨年、ノーベル生理学・医学賞を受けた本庶佑《ほんじょたすく》氏の業績と人柄は素晴らしいが、納得できない発言があるという人がいる。それは「教科書に書いてあることを信じてはいけない」▼「教科書が信用できなければ、子どもたちは勉強ができないじゃないか」との素朴な疑問だが、本庶氏は「全てを信じてはいけない」と実証主義の大切さを説いているのだろう▼教科書の記述は絶対ではなく、時代とともに変遷するのは確かだ。「昔と今とはこんなに違う　社会科の教科書」（水王舎）を読んで認識を新たにした▼江戸時代には「士農工商」という身分制度があったと筆者は今までそう理解していた。ところが、農、工、商に身分的な違いはなかったことが明らかになり「士農工商」は教科書から消えているのだそうだ▼日本で最初の貨幣は「和銅開珎《ちん》」とされていた。これは1999年に明日香村の飛鳥京跡から大量出土した富《ふ》本銭《ほんせん》に取って代わられた▼富本銭の発見は地元の本紙にも大きく報じられた。今年は教科書を書き換えるような大発見があるのだろうか。

――２０１９年１月10日付

「十字軍物語」と平成の終わり

――2019年3月11日付

このほど文庫化された歴史エッセー「十字軍物語」（塩野七生著）を読んでいる。中世、欧州のキリスト教国（領主）が、イスラム教国の領土になっていた聖地エルサレムを奪還しようとして派遣したのが十字軍である▼十字軍は日本の世界史教科書でもおなじみ。多神教の人間には理解しがたいが、キリスト、イスラムという一神教の宗教が絡む対立は、21世紀の今日まで続いている▼蛮行、残虐性がクローズアップされている十字軍の戦い。しかし「十字軍物語」によると、両軍の良識あるリーダーによる中世騎士道的な逸話もあった▼8次にわたった戦いと戦いの間には休戦の期間が20年、30年と続くことがあり、人々はつかの間の平和を享受していたようだ。ただ、キリスト教国間、イスラム間での戦い、争いは絶えなかった▼いよいよ平成の元号が4月末で終わる。バブル崩壊後の経済的には恵まれなかった時代ではあるが、戦争がなかったことは何よりも尊い▼ソニー生命保険の新元号調査によると、「平和」「和平」「安久」が上位を占めた。納得。

「本屋大賞」に奈良市の瀬尾まいこさん

――2019年4月11日付

大学生の読書離れが進んでいる。昨年2月のある調査によると、1日の読書時間がゼロの人は53％と過半数を超えた。そんな中、「1冊読みきる読書術」（齋藤孝著、ダイヤモンド社）は示唆に富む▼「本は最初から最後まで順番に読まなくてもいい」「頭に入れるのは3割くらいで十分」といった緩い読書法を教えてくれる。これで長編小説も読破できるとか▼著者は大学でドストエフスキー「カラマーゾフの兄弟」を読む授業をしているという。読書術は本離れの若者を何とか本の世界に導こうとする一つの方策だろう▼

全国の書店員が最も売りたい本を選ぶ「本屋大賞」が脚光を浴びている。小難しい文学賞より、読みやすく面白い本が多いと評判だ▼9日に発表された2019年度の大賞に、瀬尾まいこさん（奈良市在住）の「そして、バトンは渡された」（文芸春秋）が選ばれたのは県民にとって朗報だ▼「本屋大賞」の歴代の受賞作やノミネート作のコーナーを設置している書店も多くなった。本離れの人にこっそり教えてあげよう。人生にまだ大きな楽しみが残っているよ。

固定観念で物事を判断しない

――２０１９年11月22日付

織田信長といえば歴史上の英雄。天才的な戦略家、自由経済の先駆者として絶賛する向きもあれば、比叡山焼き討ちなど残虐な行為を嫌う人も▼信長の子孫と称していたフィギュアスケート元日本代表の織田信成さんが、陰口などのモラルハラスメントを受け、大学スケート部監督辞任に追い込まれるなど精神的苦痛を受けたとして女性コーチを訴えた▼「豪傑の子孫にしては繊細な」と感じる人もいるかも知れないが、日本は今、セクハラ、パワハラなどが社会問題化している。裁判の行方が注目される▼「サムライ」「ハラキリ」。黒沢明監督作品での三船敏郎演じるヒーローの映画イメージがあるためか、日本はサムライの国。しかし、良くも悪くも、現在の日本でサムライは何人いるのか▼韓国人が、教科書でたたきこまれているという旧日本軍の残虐行為。確かにそういう行為があったのは事実だろう。が、今の日本人はどうか▼時は流れ、人は代わる。「日本人は○○だから」「あの人の子どもだから」という固定観念で物事を判断するのは、明らかな誤りだ。

地名についての問題提起

筆者の地元自治会の役員会で、地名についての問題提起があった。現在の地名は語感が悪いから、「若い人は、地元を離れていく。地価も下がっている」と、強く改名を主張する人がいたという▼確かに、通信販売を電話で申し込みする際、大字《おおあざ》名を述べると、担当の女性から「えっ」としばらく絶句された経験がある▼ただ、問題の地名には現在の感覚でいけば暗いイメージがあるけれど、由緒がある。推古天皇や聖徳太子ゆかりの伝承がある名なのだそうだ▼一方、人の名前は時代とともに変遷する。最近の子どもの名前は、当て字があり、単に字を見ただけでは発音不可能なものも▼作文などのコンクールで表彰状を読む機会があるが、被表彰者の読み方に戸惑う。「ちゃんとふりがなを打ってあるので、安心してください」と事務局の人のアドバイスで一安心なのだが▼地名に愛着のある人もあり、自治体の合併が相次いだ時に、合併後の地名でひともんちゃくした例がある。自由に選べる名前と違い、地名変更は流行に左右されない説得力のある理由が必要だろう。

――2019年12月16日付

生きた歴史が隠されている

――２０２０年１月７日付

「伝説化した未解決事件の謎を解く歴史学の名著」。帯の宣伝文句につられて文庫本を購入した。「ハーメルンの笛吹き男」（阿部謹也著、ちくま文庫）である▼奇妙な男の笛に誘導されて、約１３０人の子どもたちがどこかに連れ去られてしまう。フィクションの物語だと認識していたが、13世紀ドイツで起こった実話に基づくのだそうだ▼著者はこの伝説についての様々な文献や研究を駆使して、名探偵のように真実に迫っていく。浮かび上がってきたのは中世欧州の庶民の生活、貧しさ、差別だ▼魔女狩りに代表される欧州の中世は暗黒時代。こんな表面的な知識しか持っていない筆者に、実際に西欧中世に生きているかのような知的興奮を与えてくれた▼古代ばかりクローズアップされる奈良だが、中世、近世になっても精いっぱい、人々は生きてきた。田舎町ハーメルンに、世界的な伝説が継承されてきたように▼本紙文化面に平成28年6月から昨年12月まで連載された「奈良の昔話」。カミナリやオオカミを怖れる素朴な人々の話の裏側には、生きた歴史が隠されている。

名所図会を見ながら観光再開を待つ

――2020年4月17日付

江戸時代の観光案内書である大和名所図会の内容を紹介した「図典『大和名所図会《ずえ》』を読む」（本渡章著、創元社）。当時の県内各地のにぎわいが目に浮かぶ▼描かれた絵が味わい深い。社寺境内の鳥瞰《ちょうかん》図や名所・旧跡の風景、年中行事の描写、故事・伝承についての絵物語など多彩だ▼有名な寺の建物でも、現在は焼失していたりする。半面、当時にないのが明治以降に再建されてたりして、寺の変遷を教えてくれる▼名所図会は他にもあるが、大和（奈良）は「江戸時代から見た大和の歴史案内にもなっている」と著者は指摘する。日本のふるさとならではの特徴といっていい▼名所とは歌枕の地。図会にも、絵にその地を詠んだ歌が添えられ、読者である江戸庶民の歴史や歌についての教養が分かる。当時、世界的にみて屈指の民度があったのだ▼世界中でコロナウイルスが猛威をふるう中、日本が比較的抑制されているのは、国民全体の衛生意識と民度の高さではないだろうか。名所図会の人々のように、穏やかな顔で観光できる日が再び来るまで踏ん張ろう。

恩師に叱られた

――2020年4月22日付

「先生、やはり教職というのは尊い仕事ですよね」。中学時代の恩師に言ったら、40年ぶりに怖いほどの剣幕で、こっぴどく叱《しか》られてしまった▼「おまえな。職業に上下はないんや。それぞれ社会のためになっているんや」。人を育てるのは大切な仕事ですね、と高齢の恩師を慰労する意味で言ったのだが▼長年、人権教育に携わってきた恩師には納得がいかなかったのだろう。関連して、最近のコロナウイルス感染予防における一部の風潮を疑問に思う▼クラスターになる危険性があるため、バーやナイトクラブ、ゲームセンターなど遊興、娯楽施設に対して緊急事態宣言中は休業要請が出されている▼「生活できない。何とか補償を」との切実な訴えに対して、「水商売なんてそんなもの」「別になくなっても、世の中が困るわけない」との意見がネット上にあふれているのが悲しい▼疲れてしまって生きてゆく意欲を失いかけた時、行きつけのバーで心を癒やしてもらった経験が何度かある。同様の人も多いはずだ。国難だからこそ、他人をいたわる心を持ちたい。

「てなもんや三度笠」

まさに重要文化財級のコメディーではないだろうか。半世紀以上前のテレビ番組「てなもんや三度笠」を見る機会があり、職人芸を堪能した▼高齢者なら、懐かしい題名だろう。朝日放送が昭和37年から43年まで制作。藤田まこと演じる渡世人と小坊主・白木みのるが、全国を旅して騒動を巻き起こす。関西地区では最高視聴率64・8%を記録▼現在のように録画による編集作業がない。ホールでの公開収録を、ほぼそのまま放映する生本番スタイル。にもかかわらず、演出、演技、アクションが見事に決まっている▼藤田、白木らレギュラー陣のほか、毎回当時のコメディアン、漫才師、歌手、俳優らがゲスト出演しているが、違和感なく舞台に溶け込んでいるのが驚きだ▼子どもだった当時は分からなかった。滑稽な笑いの奥にあった芸達者による真剣勝負のすごみを。編集技術の進歩した現在ではなかなかお目にかかれない▼ミスしても後で映像に細工できるから、と、技術の進歩は逆に緊張感の欠如、芸の退化につながっている場合があるのでは。これはテレビ番組だけではない。

――2020年6月26日付

昔のおもちゃから教わる

――1998年4月27日付

大学の先生が〝おもちゃ〟の作り方の本を出した。「からくり玩具《がんぐ》をつくろう」（河出書房新社）。決して遊びや趣味でおもちゃに取り組んでいるのではない。日本の歴史（近世史）研究の一環なのだ▼奈良大学の鎌田道隆教授が、江戸時代のからくり玩具の復元に取り組んで13年になる。「文献だけでなく、玩具を通じて江戸庶民の知恵やアイデアを学ぼう」というユニークな〝実験歴史学〟の試みだ▼実験は研究室にとどまらない。先の平城京98をはじめ各種イベントのほか、公民館活動などに、復元した玩具を展示し、ゼミの学生らが子どもたちに遊び方を教える。「博物館のように飾っているだけではダメ。実際に触って遊ばないとおもちゃじゃない」▼作り方を教えることもある。これまで、のこぎりやカッターナイフを触ったこともない現代っ子たちが、懸命に玩具を作る。「こう動かせばこう動く」と、からくりの仕組みが分かる。出来上がった時の満足感。自分で作り上げたものは大切にする。コンピューターゲームでは生み出せない喜びだ▼木や竹、紐など自然の素材の組み合わせやアイデアで、巧妙なからくり玩具が出来上がる。「お年寄りから小学生まで、いっしょになって遊べる。世代間の交流にもつなげたい」と鎌田教授▼今は忘れ去られようとしている技術もある。「おじいちゃん、おばあちゃんはこういうことを知っているの。すごいなー」。日ごろ疎遠になりがちな祖父母と孫が、ともに玩具づくりをすることによって分かり合えるかも知れない。昔のおもちゃから教わることは多い。

「世界遺産の旅」

――1999年10月8日付

「古都奈良の文化財」「法隆寺地域の仏教建造物群」が、ユネスコの世界遺産に登録されているのは、多くの県民に知られている。それでは、いったい世界遺産は全部で何件あるのだろう▼582件（1999年6月現在）。実に膨大な数と内容だ。それらをまとめて紹介しているのが「世界遺産の旅」(小学館)。世界遺産関係の本は数多いが、1冊に凝縮しているのは珍しく、世界遺産入門ガイドブックとして好評のようだ▼世界遺産条約は、1972年のユネスコ総会で採択（日本は1992年に加盟)。「文化」と「自然」を一つの条約としてまとめ、国際協力によって保護していくことをうたっている。156カ国が加盟。114カ国が自国の文化や自然を遺産として登録している▼世界遺産を訪れる旅行も静かなブームを呼んでいる。「世界遺産の旅」にも世界遺産地図などが付いていて、訪れた場所をチェックできるようになっている。そのうち世界遺産完全制覇の人も現れるかも知れない▼しかし、世界遺産に登録している国には紛争などで入国の難しい国もある。争いにより遺産が破壊される危険性がある。風化などが著しい遺跡も多い。観光旅行もいいが、危機に瀕《ひん》している遺産をいかに守るかが世界遺産登録本来の意味だろう▼「世界遺産の旅」には、多川俊映・興福寺貫主がエッセーを寄せていて、「文化財の維持・保存とは結局、その地域に住む人々自身が、その重要性や魅力といったものをどれだけ理解しているかにかかっていることが分かる」と指摘している。我々県民は、心して聞くべきだろう。

「ポケモン」と日本のアニメ

――1999年11月18日付

「ピカチュウ」でおなじみの人気アニメ「ポケットモンスター」が米国で大人気だ。共同通信によると、封切られた映画は公開5日間で約5200万ドル（約55億円）を稼ぎ出した。カードゲームや関連商品の売れ行きも絶好調だという▼日米の貿易収支は日本の大黒字だが、こと大衆文化・娯楽の面では、米国の圧勝だった。日本人は米国の映画やテレビドラマを見て、米国ポップスを聴き、コーラを飲みハンバーガーを食べて育った▼それに比べて日本が輸出するものといえば、自動車、カメラ、電化製品などハードばかり。米国の一般大衆にとって、日本のイメージはいまだ「サムライ、フジヤマ、ゲイシャガール」なのだという▼その偏見に日本製アニメが風穴を開けることを期待したい。いや米国だけではない。今や日本のアニメは世界を席巻している。中田選手が活躍するイタリアといえばサッカー大国だが、その国のテレビで放映されているサッカーアニメを見た同僚は「日本のキャプテン翼だった」と話していた▼本紙の中学生ランド面には多くの中・高校生がイラストを投稿してきてくれるが、その上手《うま》さには驚かされる。日本人の特性である手先の器用さが、マンガやイラスト、アニメーション制作には生かされているのではないだろうか▼最近の子どもたちの傾向として、文字よりもマンガやイラストで表現する方が得意のようだ。だから、お父さん、お母さん。子どもたちが、マンガを描いていても、大目にみてあげてください。将来、世界的なアニメーターにならないとも限らないのだから。

「年中夢求」に「不要家族」

――2002年7月20日付

朝、折り込みチラシを見ると、あるディスカウント店の広告に「年中夢求」とあった。きっと「年中無休」と「夢を求める」を掛け合わせた造語だろう。造語は好き嫌いがあるだろうが、なかなかしゃれているではないか▼この前、大学を出たばかりの若い人に、「冠水のため、トンネルが通行止め」と連絡したら、意味が通じない。「カンスイって何ですか」と聞かれてしまった。これまで、洪水とあまり縁のない人生を送ってきたのだろうか▼もっとも、それほど偉そうなことを言えるわけではない。扶養家族を長い間、不要家族と思い込んでいた。学生時代、「おまえは収入がないから扶養家族だ」と言われたのを「不要」と解釈していた。当時、本当の意味が分かっていれば、悩まずにすんだのに▼日本語は繊細だ。新聞社入社当時は「アルファベットは絶対に使うな。カタカナの言葉は同じ意味の漢字に換えろ」と言われた。原則は今でもそうだが、原則通りにいかない場合が多くなった。JTB、NTT、JRなど会社名をアルファベットにする企業が増えてきた▼PTSD（心的外傷後ストレス障害）、DV（ドメスティック・バイオレンス）被害も一般的になった。ＤＶをアルファベット、カタカナ外に置き換えると、「夫から妻への、もしくは恋人など親密な関係の男性から女性への暴力」と長くなってしまい、紙面が足りなくなってしまう▼もちろん、安易なアルファベット、カタカナの多用は慎むべきだが、日本語が時代とともに変化するのは仕方がないのかも知れない。中国から漢字を取り入れ、独自のかな文字と合わせて、美しい日本語となったのだから。

芸術

米ソ冷戦時代の名作

――2015年7月6日付

　半世紀前の洋画「博士の異常な愛情」（キューブリック監督）をテレビで観る機会があり、よくできた作品は何年たっても色あせないと感心した▼米国とソ連（現ロシア）が核軍核競争を繰り広げていた冷戦時代。米のある基地司令官が精神に異常をきたし、爆撃機にソ連への水爆攻撃を命令する▼ナチの残党とみられるドイツ出身の博士、米国大統領、英国空軍からの派遣将校をピーター・セラーズが1人3役で、ブラックユーモアたっぷりに怪演している▼核攻撃のR作戦は、敵にさとられないよう爆撃機と地上司令部との交信ができなくなる。いざ有事となると想定外のことが起こり、事態が悪い方へ悪い方へと加速してしまう▼ソ連の崩壊により冷戦時代は幕を閉じたと思われていたが、ウクライナ情勢などで米ロの関係が悪化。日本の安保法案。世界が不穏な雰囲気になってきている▼映画冒頭に米空軍の「映画はフィクションであり、現実には起こりえない」との解説がつくが、作品の性格からして、これを皮肉な逆説としてとらえてしまう人は多いのでは。世の中に「絶対」はない。

ハングリー精神に共感

日本映画黄金時代の秀作だろう。先日、衛星放送で昭和35年公開の新藤兼人監督、「裸の島」を観た。撮影期間1カ月、製作費500万円だが、作品の出来は、かける日数、金額に比例しない▼瀬戸内海の小島。4人の家族が、島の斜面を畑にし、鶏などを飼って、ほぼ自給自足の生活をしている。夫婦は飲料や作物に与える水を汲《く》みに隣島まで小舟を漕いで往復する▼急斜面を天秤棒で桶を担ぎながら水を運ぶ姿には、観ている方も力が入る。元宝塚スターの乙羽信子は、実際に泣き出しそうな形相だった▼モスクワ映画祭グランプリをはじめ海外で様々な賞に輝いた。困難に立ち向かい懸命に生きる姿は、国境を越えて共感を得られる証明だろう▼生まれながらにして、地盤、看板、カバン（資金）がある、いわゆる世襲議員が増えている。多くは、困難を克服するハングリー精神に欠けていると感じるのは筆者一人ではないだろう▼以前、ある二世議員が、「先代（父）はどうだった」「先代はこうした」と話しているのを聞いて閉口した。政治は伝統芸能ではないのは言うまでもない。

――2015年8月13日付

入江泰吉の仕事

一般知名度からいうと、大和路の風景写真に関しては「入江の前に入江なし、入江の後に入江なし」との言葉が当てはまる。生誕110年で写真集「回顧　入江泰吉の仕事」が刊行された▼風景の中の余情、気配まで表現し「入江調」と称えられた代表作のほか、大阪の文楽を撮影したモノクロ写真、未発表のスナップ写真、仏像、花、庭など367点を収録している▼初期から晩年の作品までを年代別に網羅している。鋭い造形美を感じる初期の作品から、後年の淡い色調で心にしみる作風への変遷が興味深い▼個人的に何より驚かされたのが、1950年代の斑鳩の風景だ。寺、田園、民家、木々が見事に調和していて、たとえようがないくらい美しい▼後に高度成長期を迎え、大和路も新しい道や建物、電線などが写り込むようになった。入江には「今、撮っておかなければならない」との強い使命感があったのではないか▼よく「大和の景観を守れ」とは聞くが、具体的に何かがはっきりしない。入江の作品は大和の美を計る「メートル原器」のように思えてならない。

――2015年10月29日付

全良雄さんとの思い出

奈良フィルハーモニー管弦楽団の創始者で団長の全良雄さんが胃がんで亡くなった。65歳はあまりに早過ぎる。スポンサーに乏しい奈良の地で、奈良フィルが30周年を迎えることができたのは、全さんの人間力によるところが大きかった▼念願の定期演奏会は平成9年から。資金的に厳しいが、全さん夫妻の交友から広がった奈良フィル友の会会員の輪と、団員の熱意があってこそ続いているのだと断言できる▼巨匠・秋山和慶さんが振った時は、世界の一流オケの音がした。「秋山先生に少しは本気になってもらえたかな」。全さんの、はにかんだような笑顔が忘れられない▼各定期演奏会後、全さんに感想を言うのが恒例だった。別の演奏会で筆者の姿を見つけた全さんは「きょうは怖い人が来ているので」と聴衆に話した▼素人の批評も決しておろそかにしない。柔和な全さんのプロとしての一面を垣間見た。もう全さんと〝勝負〟できないのが寂しい▼「奈良の地にオーケストラを」。全さんの心は団員らに受け継がれるに違いない。全さん、安らかにお眠りください。

――2015年11月12日付

音楽文化は不滅

ロシアの作曲家・ショスタコービッチの第7交響曲「レニングラード」第1楽章「ドーレッド・ソソ、ドミーレ・ララ」の軽妙なメロディーは日本のテレビコマーシャルでも使われた▼ところが、この交響曲全体の内容は重々しい。第二次大戦で包囲されたレニングラード（現サンクトペテルブルク）。このメロディーはドイツの機甲部隊が迫ってくる情景を描いているという▼すでに世界的に著名だった作曲家は、空路レニングラードを脱出。モスクワで曲を完成させ、その楽譜はレニングラードへ送られ演奏、苦しむ市民らの勇気を鼓舞した▼物資不足で餓死者も出た市内だったが、劇場は閉じることはなかった。先日、大阪フィルハーモニー交響楽団定期演奏会で、曲を聴き、考えさせられた▼大阪フィルをはじめ在阪のオーケストラは、行政からの補助金が大幅にカットされた。商都は「文化関係予算から削る」のだろう▼県の音楽祭「ムジークフェストなら」は来年の概要を発表、開催地域をさらに広域化して、11万人の動員を目指す。「さすがは文化県」と世界に知らしめてほしい。

――2015年12月28日付

奈良の「ブルーノート」1年

――2016年3月13日付

莫大な過去の遺産で食っている道楽息子。言葉は悪いが奈良にはこんな一面があるのではないか。もちろん、例外はあるが、現代において文化面で何を発信できているのだろう▼そんな中、音楽文化を担う心強い名店が古都にやってきてくれた。ジャズバー「ブルーノート」が京都市から奈良市の旧市街地「ならまち」に移転して1年になる▼昭和37年の開店以来、国内外のジャズ演奏家、ファンが集うライブスポットとして人気を集めてきたが、店舗の老朽化などにより閉店。店主の大東久夫さんの出身県で新店舗を構えている▼取材で訪れ、英国タンノイの大型スピーカーをはじめとする名機による再生音に度肝を抜かれた。音が生きている。魂がこもっている▼「現代のCDより昔のレコードLPの方が音はいい」とオーディオマニアからよく聞いたものの半信半疑だったが、同店のLPを聴かせてもらうと一目瞭然だ。いや一聴瞭然か▼大東さんを慕い、県内外のミュージシャンが駆けつけ、土・日・祝日には熱いライブがある。違いが分かる大人たちよ、集まろう。

夢のようなオペラの世界

――２０１６年11月16日付

オペラの中継映像を映画館で観るライブビューイング。米国メトロポリタン歌劇場の上演は日本でも定着している。普通の映画よりは高額だが、ぜいたくなオペラハウスの雰囲気を気軽に味わえる▼先日、大阪の映画館で観賞して、番組進行役の女性ソプラノ歌手の言葉に少し驚かされた。「オペラで現実から逃避してください」と話したのだ▼英語を日本語に翻訳した字幕だから、正確じゃないかも知れない。しかし、筆者は「さあ、夢のようなオペラの世界を満喫して、現実の嫌なことをしばし忘れて」との意味にとった▼現実の辛さに人はどう対処するのだろうか。悪ければアルコール、薬物、ギャンブルへの依存。さらに、いじめや過労による自殺などが後を絶たない▼目の前の困難に負けてはならない。強い心で打ち勝たなければ。と人生訓の本には書いてある。だが、強い人間より心の弱い人間が圧倒的に多いのが現実である▼だから、みんなオペラで癒やされましょうと言っているのではない。人それぞれ道は違うだろう。絶望しないで、逃げ場はいくらでもある。

シリア攻撃と米国映画

――2017年4月11日付

21年前の米国映画「インデペンデンス・デイ」。異星人の攻撃で人類は絶滅の危機に瀕するが、米国大統領自らが攻撃機に乗って立ち向かう。ハリウッド映画らしい荒唐無稽気味の作品だ▼映画出演歴もあるトランプ大統領は、この作品の影響を受けたのではないかと疑ってしまう。巡航ミサイルによるシリアへの攻撃命令である▼報道によると、シリア政府軍によるとみられる化学兵器で命を奪われた子どもや赤ん坊の映像を見て、大統領は心を揺さぶられたらしい。これも映画的だ▼国の歴史が浅く、文学や音楽では欧州の歴史に及ばない米国だが、映画に関してはハンディがない。世界で最も映画産業が発達している▼自国民が被害を受けたわけでない。国連によるお墨付きもなく法的根拠も乏しい。世界の「裁判官」と評する向きもあるが、化学兵器を使用するような無法者を容赦しない西部劇の「保安官」気分か▼映画はフィクションであって脚本がある。しかし、現実には筋書きがない。世界が大惨事になってしまっても、絶対に撮り直しはできないのですよ大統領。

あそどっぐのコント

――2017年4月26日付

寝たきり芸人・あそどっぐを知っていますか。昭和53年、生まれて間もなく骨髄性筋萎縮症を発症。動くのは目と口と指1本のみ。その体で熊本を拠点に芸人活動をしている▼「なら国際映画祭」で日本人映像作家強化養成プロジェクトにも選ばれた島田角栄監督が、彼を追ったドキュメンタリー映画「寝たきり疾走ラモーンズ」を観た▼お涙頂戴、感動の押し売り作品ではない。あそどっぐのコント、島田監督との会話はブラックジョーク、下ネタ満載で、決してPTA推薦にはならないだろう▼島田監督をはじめ、芸人仲間、交代で世話するヘルパーのみなさん。偏見もなければ同情もない。あくまで人対人の関係として彼に接しているのがさわやかだ▼島田監督は単刀直入に聞く。「(絶望して)自殺しようと思ったことは」。あそどっぐは「舌を噛《か》み切ろうとしたことがあったが、噛みきる力はなかったので」▼あまり面白くないとも評されるギャクを、懸命に考えるあそどっぐ。人を笑わせるのが生きる意味。私たちは問われている。「おまえはどう生きているのか」と。

映画「東京流れ者」と清順美学

――2017年5月29日付

「流れ者には女はいらねえよ」。漫才のギャグで何回も耳にした言葉だが、原典は日活映画「東京流れ者」（昭和41年）の渡哲也扮する不死鳥の哲の名セリフだ▼監督の鈴木清順は今年2月に死去。独特の映像は清順美学として世界的に知られ、近頃封切られた米国映画「ラ・ラ・ランド」にも「東京流れ者」に似たシーンがある▼大阪のシネ・ヌーヴォで鈴木監督の追悼特集があり、「東京流れ者」などを観賞した。当時の日活作品ならではの荒唐無稽なストーリーに、意表をつく斬新な映像が散りばめられている▼「訳の分からない映画ばかりつくる」と鈴木監督は日活をクビになり、その10年後に名作「チゴイネルワイゼン」が誕生したのはよく知られている▼今見ると、会社の制約の中で精いっぱい、創意工夫した作品には捨てがたい味がある。土俵があるから相撲は面白い、リングがあるからボクシングは見ごたえがある▼県内には名画や芸術性の高い作品を専門に上映する映画館がない。「奈良には名画館は要《い》るんだよ」。哲にそんなセリフを吐いてもらいたい。

夏目漱石の「こころ」を読み解く

――2017年6月13日付

小学生から「先生の『こころ』という作品を読みました」との手紙を受け取った文豪・夏目漱石は「小学生はあのような作品を読むものではありません」と返事した▼「漱石を電子辞書で読む」（齋藤孝著、時事通信社）の中で紹介されている逸話だ。重いテーマの作品なので、小学生には理解しがたく誤解を生むと、作家自身考えたのだろう▼「坊っちゃん」など漱石作品で小説入門をした人は多いだろうが、若いころは表面のストーリーを追いがちである。名作を深く味わうには年齢を重ね、読み返すべきだろう▼齋藤氏は、「こころ」を読み解き、漱石が生きた明治の時代は自分がやりたいことより、（真理や人の道を求め）こう生きるべきだとする考えの方が重かったが、今の時代の人間はこうしたいという物質的な欲望の方が強いという▼利己主義の現代日本社会を改めたいとする意見の政治家の中に、教育勅語を持ち出すおかしな人たちがいるが、漱石文学を引用すればいいのに▼小生は最近、漱石を座右の銘にしている。「生まれて来た以上は、生きねばならぬ」（「倫敦塔《ろんどんとう》」より）。

名古屋でワーグナーの「ワルキューレ」

――２０１７年６月20日付

19世紀ドイツの作曲家ワーグナーの音楽には熱狂的なファンが存在し、ワグネリアンと呼ばれている。ワーグナーが建設したバイロイト祝祭歌劇場は〝聖地〟とされ、夏の音楽祭は世界中から信者が巡礼に訪れる▼日本のワグネリアンが先日、バイロイトならぬ名古屋市に詰め掛けた。アマチュアの愛知祝祭管弦楽団がワーグナーの楽劇「ワルキューレ」を上演したのだ▼ワーグナーのオペラには大編成のオケと高度な技術が必要で、プロでさえミスのない演奏は至難。それにアマが挑戦するというのだから、音楽ファンの耳目を集めて当然だろう▼終演後は演奏を称えるブラヴォーの嵐だった。アマだけに細かなミスも目立ったが、それを上回る熱い思いがホールを埋めた満員の聴衆の心を打ったのだ▼クラシック音楽の分野では東京の一極集中が著しい。しかし、関係者の努力と情熱があれば、地方からでもこのオペラ公演のような快挙が可能だ▼県内で「ムジークフェストなら２０１７」が開かれているが、将来的には全国から注目を集める目玉公演の創設が望まれる。

「万葉集」の「かなし」

――2017年10月22日付

「空の青さや海の匂いのように万葉の歌人が、その使用法をよく知っていた『かなし』という言葉のようにかなしい」。モーツァルトの音楽を評して小林秀雄はこう表現した▼弁護士の下村敏博さん（67）が万葉集の歌に曲をつけ、所属するアンサンブル・シュバリエのコンサートで3曲が初披露された。西洋のスタイルで書かれた下村さんの曲を聴いて、前述の小林エッセーが頭に浮かんだ▼九州防衛のため遠国から徴用され、故郷を思う防人《さきもり》の歌、謀反の疑いで捕らえられて護送される途中の有間皇子の歌、自殺した娘をしのんだ母の歌▼純粋無垢な万葉人の心情だ。3曲はいずれもかなしい。「万葉集」には「かなし」という言葉が114語あり、悲哀、愛しい、孤独など幅広く使われているという▼終演後には聴衆から「非常に素晴らしかった」との声があった。歌曲から1300年前の「かなし」が伝わった▼下村さんは6年前、万葉歌コンクールで明日香村長賞を受けた。それから書き留めた万葉歌27曲で楽譜集を出した。来年はCD化を予定している。

森山さんの蓄え

会場に入って来る姿は、やはり実年齢の70歳過ぎに見える。腰を痛めた影響も心配される。ドラマーは体力がいるのに大丈夫なのか▼ところがである。ドラムをたたく姿は別人だ。名人芸と呼ぶには激しすぎる。スイングするフリージャズ、1970年代に山下洋輔トリオのドラマーとして世界に衝撃を与えたプレーは健在だった▼奈良市の「ブルーノートならまち」の56周年記念ライブに森山威《たけ》男《お》さんが来演。板橋文夫さん（ピアノ）らとともに古都のジャズファンを魅了した▼板橋さんが森山さんのために40年前に作った曲などを演奏。「演奏に入ると若い時を思い出す。体が自然に反応する」と森山さん▼客の一人は「森山さんは東京芸大打楽器科の出身。基礎がしっかりしているから、歳をとられてもこんなパワフルな演奏ができる」と感嘆していた▼言い換えれば、森山さんが現在、素晴らしい演奏を披露できるのも、若いころからの努力、鍛錬、豊富な経験があるからだ。高齢化社会、老後のために、我々が蓄えておかなければならないものは、お金だけではない。

――2018年4月3日付

セリフが聞き取りにくい映画

――2018年7月10日付

平群町のイメージキャラクター「左近くん」。同町出身とされる戦国武将・島左近を元にしているが、かわいい左近くんとは異なり勇猛果敢な人物であったとされる▼天下分け目の関ケ原合戦で、西軍、石田三成の側近として獅子奮迅の戦いをして討ち死にする。司馬遼太郎作の小説「関ケ原」では、一番のヒーローとして描かれている▼小説に感銘を受けたので、映画化され昨年封切られた「関ケ原」を衛星放送で観た。ところが、まず出演者のセリフが聞き取りにくいのには閉口した▼耳の老化が進んできたのかと不安になったが、映画館で見た人たちがネット上に寄せた感想にも同じ指摘が多い。「字幕が欲しかった」も▼かなり前、海外で高く評価された映画の1本も、セリフがほとんど聞き取れなかったのを思い出した。海外では字幕や吹き替えになるから俳優の発声は気にならないのだろう▼もちろん、映画「関ケ原」でも、演劇の経験が豊富な人のセリフはしっかりしていた。高校演劇部で地味な発声練習を繰り返していた理由がよく理解できた。何事も基本からである。

評判の映画「カメラを止めるな」

——2018年9月20日付

「柔良く剛を制す」なのか、それとも下克上なのか。製作費300万円のインディーズ映画が、数十億円をかけた米ハリウッドの大作映画を興行成績で上回っているはどう表現すればいいのか▼その作品は上田慎一郎監督の「カメラを止めるな」。ほとんど無名の監督と俳優たちで作ったコメディータッチの娯楽作は、口コミで評判が広がり、全国的に大ヒットしている▼ネタばれになるから詳しい筋は説明しないが、構成、脚本に妙味があり、「最後まで席を立つな、この映画は2度はじまる」がキャッチフレーズとなっている▼開始からホラー作品シーンが連続するので、嫌になって途中で帰る人もあるらしい。それらのシーンが絶妙な伏線となっているので、これから観賞する人はぜひ最後まで見て欲しい▼この映画は低予算でも創意工夫と情熱があれば秀作を生み出すことのできる好例といえるのでは。映画づくりを志す若い人たちの励みになるのではないか▼20日から「なら国際映画祭」が開幕する。国内外の映画人の中から新しい才能を発見できるかどうかが楽しみだ。

葵トリオの凱旋コンサート

——2019年7月11日付

世の中にコンクールは数多いが、「1位なし2位なしの3位」などがよくある絶対評価の厳しい審査で知られるのが、ミュンヘン国際音楽コンクールだ。昨年、ピアノ三重奏部門で1位に輝いた葵トリオの凱旋コンサートがあった▼会場のやまと郡山城ホールは約700人の入場者。コンサートの集客には苦労すると言われる県内、しかも地味なクラシック室内楽では異例の入りといえる▼バイオリンの小川響子さんは橿原市、チェロの伊東裕さんは生駒市と2人が県出身で、ピアノの秋元孝介さんは兵庫県西宮市出身▼曲間に3人の話があったが、故郷に錦を飾り、うれしそうだった。熟年層が多かった客席は、まるで子や孫の演奏を見守るような温かい空気が流れていた▼といっても演奏は一転して、集中力のある鋭い切り込みで音楽の神髄をあらわにさせた。国内外で圧倒的な人気を誇っているのもうなずける▼東京一極集中の音楽界にあって、このトリオが県内をはじめ近畿で活躍してくれるのを大いに期待する。ならムジークフェストの目玉にもなりえるだろう。

ドキュメンタリー映画「東京裁判」

――2019年8月27日付

繰り返し味わうに足りるかが、文学、音楽、映画、美術などにおける名作の条件の一つではないだろうか。飽きるどころか、常に新たな発見がある▼昭和58年に初公開されたドキュメンタリー映画「東京裁判」。公開当時とテレビ放送で過去2回観たが、今回デジタルマスター版で見直して、その感を一層深めた▼第2次大戦後、日本の戦争関係者を裁いた極東国際軍事裁判と、日本を中心とした戦下の記録フィルムを再編集してある。劇映画の名匠小林正樹監督の作品▼新版は映像、音ともに驚くほど鮮明になっていた。大抵は聞き取りにくい音で一部しか紹介されない昭和天皇の「玉音放送」が全文、字幕付きなのは圧巻だ▼「東京裁判」は、様々な評価がある。戦争で人を殺しても犯罪でない以上、果たして戦犯を裁くことができるのか。欧米戦勝国に日本に対する人種的偏見はなかったのか▼しかし、疑問点はあっても、戦争の残虐性を赤裸々に暴いたのは事実だ。戦争について薄っぺらな考えを発信する一部の政治家やネット投稿者に、この作品で勉強してもらいたい。

公演中止に負けるな

――2020年4月9日付

音楽の祭典として県民に親しまれてきた「ムジークフェストなら音楽祭」は本年度（5月16日〜）が、コロナウイルス感染症対策のため中止となった▼筆者は2人の県出身者が所属する葵トリオのチケットを購入していたのだが、隣接の大阪府などが緊急事態宣言を出しているほど、「コロナの恐怖」が迫っているのだから中止も仕方がない▼聴衆以上に事態が深刻なのは出演者だ。同音楽祭にコンサートを予定していた関西フィルハーモニー管弦楽団は、3月から公演が続々と中止となり、ホームページで「存続の危機」と訴える▼窮状はどこのオーケストラも同じ。老舗の大阪フィルハーモニー交響楽団は今月2日までに「12公演が中止となり、数千万円の損失が発生している」という▼第二次大戦で、ソ連のレニングラードはドイツ軍に包囲され、食料不足で餓死者が市内にあふれた。しかし、歌劇場は公演を中止することはなかった▼感染症予防の今回は当時と事情が違うし、コンサート中止はやむをえないが、オケ存続のために、音楽ファンは寄付などで協力しよう。ウイルスごときに音楽文化が殺されてたまるか。

分かるころになって

天才といえども、全作品が傑作ではない。と、新しい発見があった。外出自粛の中、家でモーツァルト全集（CD170枚）を聴いている▼初期のピアノ独奏曲には、稚拙なのもある。やはり彼も人間だった。しかし、ピアノ協奏曲やオペラは、ほとんどが「神品」といってよい▼このように全作品を聴き通しているのも、コロナウイルス感染予防の巣ごもりで時間に余裕ができたからだ。この廉価版全集も、1年以上前に購入したままだった▼国文学者で作家の林望氏は、「ある程度年を取らないと文学のだいご味は分からない」とエッセーに書いている。ところが、日本社会は、うまくいかない▼文学青年、文学少女であっても、社会人になれば日々の仕事、生活に追われてしまう。人生経験を積んで深い味わいが分かるころになって、文学から遠ざかってしまう。20歳過ぎれば、ただの人に▼長期入院して、読書に没頭したおかげで、人生の指針となる本に巡り合えたという話もある。自粛在宅でストレスをためている人に、音楽や文学など古典名作に親しむことを薦《すす》めたい。禍を転じて福となそう。

——2020年5月12日付

「尾花劇場」の復活

——2020年6月3日付

奈良市高畑町のホテルが「ホテル尾花」として再出発した。芝居小屋や映画館として親しまれた「尾花劇場（尾花座）」の懐かしい名前を復活させたのだ▼明治42年に芝居小屋として開館。大正9年には映画館となり、古都の娯楽の殿堂となった。昭和54年に閉館し、ホテルに改築された▼昨年12月に封切られた周防正行監督の映画「カツベン！」は大正時代、関西の地方都市にある映画館を舞台にしている。奈良新聞に来社の際、監督は館のモデルは尾花劇場であると打ち明けてくれた▼遺された尾花劇場の資料を参考に映画を製作したという。活動写真（映画）草創期の尾花劇場のにぎわいは、作品の中でノスタルジックに描写されていた▼中学時代、休日に奈良市を訪れ、大きなスクリーンで映画を観賞するのが最大の楽しみだった。隣接市にはあるものの、県都に映画館がなくなって随分たつ▼ホテル尾花は、割安の料金で宿泊できる県民限定の「顔見世プラン」を10月31日まで用意している。尾花劇場で青春を過ごした人たちに利用してもらいたい。

希望のシンフォニー

——２０２０年７月３日付

コロナ禍のため休止を余儀なくされていたオーケストラコンサートが、再出発している。愛好家としたら、砂漠でオアシスを見つけた思いだ▼日本センチュリー交響楽団の定期演奏会(ザ・シンフォニーホール)に出掛けた。ホール入り口で検温、手の消毒。マスク着用義務。ソーシャルディスタンスのため、席の両隣は空席に▼売店やクロークが閉まっているので、いつもはにぎやかなロビーは閑散。できるだけ会話も慎まなければならない。まるで通夜に来たようだった▼しかし、雰囲気は一変した。秋山和慶指揮のもと、小編成のオケが、長らく演奏できなかったうっぷんを晴らすかのような熱演。聴衆の拍手は鳴りやまず、終演後も出演者がステージに呼び戻された▼もちろん、まだ感染予防のためコンサートなどを自粛する人は少なくない。聴衆数を抑制したままだと、演奏会の採算はどうか。試行錯誤が続くだろう▼聴力を失うという音楽家としては致命的な困難を克服したベートーベン。この日の曲目は、彼のピアノ協奏曲第４番と交響曲第３番「英雄」だった。

何事も「花」を求めて

県は能の発祥地であるが、能の大成者である世阿弥の言葉に「花」がある。「あの人には花がある」などと、花のような華やかさの意味で我々は用いている▼世阿弥のいう花は少し違う。「花と、面白きと、めずらしきと、これ三つは同じ心なり」（風姿花伝）。能にとって最も大切なものは「新しいこと」「珍しいこと」だと説く▼「人気に左右される芸能の世界で勝ち抜くために、世阿弥が語った核心」（NHKブックス、土屋恵一郎著）。漫然と同じことをやっていてはいけないのだ▼「古事記異聞　鬼統べる国、大和出雲」（高田崇史著、講談社ノベルス）を読んだ。出雲をテーマにした歴史ミステリーシリーズの完結編で、女子大学院生が奈良市、桜井市を訪れ、出雲にまつわる謎を解く▼登場人物の設定からして若者向けの作品だろう。完全なフィクションというものの、多くの古典や学術書などを参考にしており、歴史についての新しく珍しい切り口を提示してくれる▼「花」があれば、活字離れの若い層をひきつけられるのでは。何事も「花」を求めていかなくては進歩がない。

――２０２０年11月23日付

社会・経済

華麗なるメンバー

――2015年6月8日付

「陽は傾き、潮が満ちはじめると、志摩半島の英虞《あご》湾に華麗な黄昏が訪れる」。山崎豊子の小説「華麗なる一族」の冒頭、志摩観光ホテルから望む夕景描写はあまりにも有名だ▼平成28年に日本で開く主要国首脳会議（サミット）の開催地が「伊勢志摩」に決まった。小説で関西の財閥・万俵家一族がお気に入りだったリゾートホテルを舞台に、世界の華麗なるメンバーが集う▼伊勢神宮があり日本の伝統や文化を発信できるのが選ばれた理由という。名物の伊勢エビやアワビの美食が出席者を魅了し、ご婦人方には真珠製品が喜ばれるのではないかと俗な予想をしている▼三重は隣県であり、近鉄特急でアクセスも便利なので県民にとって伊勢志摩はおなじみのリゾート地。サミット開催は歓迎すべきだ▼伊勢神宮―橿原神宮は、日本建国の神話ゆかりのルート。もちろん、サミット出席者は超多忙には違いないが、ぜひ関係者に本県にも足を延ばしてもらいたい▼小説は「おごれるものは久しからず」を感じさせる苦い結末だったが、サミットはハッピーエンドを願ってやまない。

世界の株式市場が混乱

「人の行く裏に道あり花の山」。数多い株式投資の格言の中でも代表的な言葉である。要するに付和雷同してはいけない。むしろ他人とは反対を行った方が成功すると説く▼少し持ち直したとはいえ、中国上海株式市場の暴落から世界の株式市場が混乱。東証1部の日経平均も2万円を大きく下回っている。格言通りなら、ここは買いだろう▼ところが、そうは簡単にはいかないのが投資の世界。米国のあるヘッジファンドは、ノーベル賞経済学者2人を顧問にしながら破たんした▼現在、中国の経済に対して世界中が疑心暗鬼になっている。中国経済はバブル状態で崩壊するのではないかとの懸念。バブル崩壊なら米国、日本は経験がある▼1920年代、経済繁栄の黄金時代を迎えた米国で、1929年に突如ウォール街の株式市場が大暴落。それがきっかけで30年代の世界恐慌となり、第2次世界大戦につながった▼歴史本での知識だけだが、何だか日本をはじめ世界の雰囲気が戦前に似てきた感じがするのは筆者だけだろうか。「歴史は繰り返す」というが、過ちは繰り返してはならない。

――2015年8月27日付

「安保法案」と石原莞爾

——2015年9月4日付

天才、異端児とも言われた陸軍軍人、石原莞爾《かんじ》。満州事変の仕掛け人でありながら、東條英機と対立し予備役となり、病気のため戦犯を免れた▼戦後、東京裁判の検事団に対して「俺は証人ではない。満州事変を起こしたんだから被告だ」。「東條には思想がないから対立のしようがない」▼互いに責任のなすりつけあいをして、検事の質問にしどろもどろの戦犯が多い中、検事団を圧倒する石原の鋭い舌鋒はドキュメント映画「東京裁判」でも強烈な印象を与える▼戦後は故郷の山形で近所の人たちに演説した。最近出版された「賊軍の昭和史」(東洋経済新報社)によると、「新憲法は良い」「もう、軍備のない時代だ」「これを道義の憲法として道義の国家となって」などと語った▼8月30日に、あるパーティーに出席した。出席者の何人かが安保法案反対のデモに参加した後で、手にプラカードを持っていたのには驚いた▼まったく非政治的な人たちなのにである。運動の広がりを肌で感じた。「国民の多くが反対する安保法案に道義があるのか」。石原なら一喝したのではないか。

ラスベガスのホテル

ロサンゼルスから空路、険しい岩山の山脈を越えると、砂漠の中の盆地に広大な人工都市が開けていた。こんなところに大都会を作った米国人の開拓者魂に脱帽だ▼夏休みにラスベガスを訪れる機会があった。賭博の街といったイメージがあるが、近年は巨大ホテルが林立したテーマパークの魅力もある▼大きいホテルは客室数が7千。たいていのホテルはカジノを持っていて、米国内外からの客らが24時間、賭けに熱中している▼ベガスのホテルにはバルコニーがない。カジノで無一文になった人が飛び降りないためのとの説もある。しかし、実際のカジノにはそんな殺伐とした雰囲気はなく、のんびりと楽しんでいる老夫婦が目についた▼世界中の富を集めたベガスには、ピラミッド型のホテル、2分の1のエッフェル塔など何でもござれ。驚かされるが、次第に街全体がピカピカの模造品に見えてくる▼その反対に、1300年以上の歴史と伝統を持つ奈良は、底光りのする骨董品のような味わいがある。眠らない街ベガスと違い、午後9時を過ぎると暗くなる繁華街は論外だけれど。

——2015年9月18日付

自動運転の開発

自動車に行き先を告げると、車が勝手に自ら運転して目的地に連れて行ってくれる。未来社会を描いたSFの世界だと思っていたことが、実現しようとしている▼国内大手メーカーの自動運転に対する構想が出そろった。外国メーカーによる開発も進んでおり、だいたい2020年ごろまでには高速道路で自動運転が可能になるという▼さらに市街地でも実用化されそう。自分で運転できないとつまらないという腕達者なドライバーは別として、最も恩恵を受けるのは高齢者だ▼加齢による運動神経の衰えから高齢者による事故が増えている。警察などでも免許証の自主返納を奨励しているが、自動運転が普及すれば、そんな心配はなくなる▼今後の人口減少によって車需要減少が懸念される自動車各社が、自動運転の開発に必死になるのは当然だろう。経済活性化にもつながる▼ただ、「精巧な機械ほど壊れやすい」との格言もある。また、先の排ガス不正のようなことがあっては人命にかかわる。何より安全性が第一。「世界の願い　交通安全」(昭和41年スローガン)は不変だ。

——2015年10月23日付

運転免許の自主返納

戦後の落語界で名人と称された八代目桂文楽は、完全主義者だった。昭和46年8月国立劇場小劇場での最後の高座は、伝説となっている▼噺《はなし》を進めたが、途中でせりふを思い出せず絶句。「勉強をし直して参ります」と頭を下げ高座を下り、以降の予定を全てキャンセル。二度と高座に上がることはなかった▼せっかく聞きに来た客に、衰えた芸で迷惑はかけられない。それが名人・文楽の思いだったのではないか。老いは誰にもやってくる。▼高齢者ドライバーの中で、運転に不安の抱える人が運転免許を自主返納する制度が普及してきている。県警は返納しやすい環境づくりに取り組んでいる▼大きな事故を起こさないうちに運転をやめる。自分自身のためにも、人のためにもなる。そこには文楽引退と共通する日本人好みの「引き際の美学」があるのではないか▼といっても、買い物や通院など生活するのに自家用車が必要な人はいる。過疎地や公共交通機関の発達していない地域が多い本県では、なおさらだ。さらなる自主返納率の向上には、高齢者の足確保は必須だろう。

――2016年1月5日付

てめえたちゃ

もう20数年前になるが、インドネシアのバリ島に旅行した時、飲食店にカメラを忘れた。「治安のいい日本じゃないから」と半分諦めていたが、念のため翌日店を訪れた▼女子店員が、きちんと保管していてくれた。「バリ島の住民に悪い人はいないですよ」。笑顔の対応が忘れられない。それから数年後、バリ島でテロ事件が発生した▼14日には同国首都ジャカルタで、イスラム国の関与とみられる連続爆弾テロが起こった。先日はトルコのイスタンブールが狙われている▼トルコは日本びいきの人が多く、かつてイスタンブール旅行の際、俳優ショーン・コネリーに似たタクシー運転手に街案内など随分と親切にしてもらった▼思い出の地で、次々に惨事が引き起こされ、罪のない多くの人々が犠牲になっている。

萬屋錦之介扮《ふん》した時代劇の主人公ではないが、狂信的テロリストらに叫びたい。「てめえたちゃ、人間じゃねえ」▼幕末に五條代官所を急襲した天誅組や、勤皇の志士らもテロリストだろう。しかし、彼らは一般の人々を斬ったのではない。無差別テロ撲滅を切に願う。

——2016年1月16日付

ふさわしい「舞台」を

著名なホテルと小説家の組み合わせ例は多い。シンガポールのラッフルズホテルは、英国のサマセット・モームが愛した。彼は「ラッフルズ、その名は東洋の神秘」との言葉を遺している▼東洋と西洋の架け橋、トルコ・イスタンブールのペラパラスは、ミステリーの女王アガサ・クリスティが「オリエント急行殺人事件」を執筆したホテルだ▼随分前に、両ホテルとも観光旅行で訪れた。予算の都合上、宿泊はならなかったが、ロビーに足を踏み入れると、他の高級ホテルにはない空気感があった▼日本では5月に開催される伊勢志摩サミットの主会場志摩観光ホテルが挙げられる。山崎豊子が「華麗なる一族」「不毛地帯」などを生み出した▼奈良市の県営プール跡地に、外資系高級ホテル「JWマリオット」の誘致が発表された。平成32年春の開業予定。国際観光地へ飛躍の拠点としたいという▼「ここを定宿に小説家が名作を」と夢見るが、周辺の現状では心もとない。いわゆる夜の観光振興など街の活性化が必要だ。ふさわしい「舞台」がなければ、名作は生まれまい。

——2016年3月5日付

「カローラ」生誕50周年

――2016年4月3日付

ラテン語で「花の冠」を意味するロマンチックな名前とは知らなかった。トヨタ自動車の看板車種「カローラ」。トヨタカローラ奈良で生誕50周年のプロジェクトがあった▼我が家初の自家用車がカローラ。普段はさえない父親と思っていたが、ハンドルを握る姿はカッコ良く、同級生に自慢したいほどだった。ドライブした楽しい思い出もある▼自動車は文化である。その本場・英国では、趣味性の高い車に熱中する人（エンスージアスト）は、自分で車を組み立てたりできるそうだ▼日本でもクラシックカーの博物館が各地にある。一つ一つの車には、設計者、工場関係者、使用者の思いやドラマが込められているように感じてしまう▼ところが、最近は自動車にまったく関心のない若者が多いという。「お金がかかる」「もっと他に面白いものがある」。理由は様々だろうが、車好きからすると少し寂しい▼各メーカーとも自動運転車の開発に力を注いでいる。しかし、いわゆる白物家電のように、無味乾燥な製品になって欲しくないのは中高年男の感傷か。

公費でのぜいたくは敵

飛行機の座席は階級社会。最上級のファーストクラスは、180度フラットのベッドとなる座席や、シャンパン、キャビアなどを含むぜいたくな食事が振る舞われる「楽園」らしい▼多数が利用するエコノミークラス。狭い座席で機内食をいただき、窮屈に食べて寝るを繰り返す。あるフライトで隣席の人がぼやいていた。「俺ら（飼育されている）ブロイラーみたいやなあ」▼長時間同じ姿勢でいると、静脈の血が固まってしまう。いわゆるエコノミークラス症候群である。ただ、ファーストクラスやビジネスクラスでも発症する▼熊本地震の被災者らが自家用車生活でエコノミークラス症候群に悩まされている一方、高額な海外出張費、政治資金規正法違反疑惑などの問題で、舛添要一東京都知事が批判されている▼憧れのファーストクラス利用、スイートルーム宿泊も自腹なら大いに結構。しかし、公費（税金）でのぜいたくはいかがなものか▼「ぜいたくは敵」とは戦中の標語だが、「公費でのぜいたくは敵」は現在でも通じる。本県の公務員、議員の方々も他山の石としていただきたい。

——2016年5月12日付

あのころの夢を

我が家にある数年前買ったシャープの液晶テレビには「世界の亀山モデル」と誇らしげにシールが添付されている。「この製品は世界最先端です」との自負が現れている▼その自信が裏目に。液晶への過大投資が主原因でシャープが経営不振に陥っている。県内に工場、県出身の社員は多く、一企業とはいえシャープの浮沈は県にとっても重要な問題だ▼同じく電機メーカーの東芝も経営が苦しい。少年時代に好きだった特撮テレビドラマの「高速エスパー」は東芝のマスコットキャラクターだったので、筆者には親しみの深い企業だ▼「シャープ崩壊」（日本経済新聞出版社）には、経営トップの人事抗争が危機の傷口を広げたとの指摘があった。東芝は不正会計があった。ともに「人災」ともいえる▼平成17年公開の映画「ＡＬＷＡＹＳ　三丁目の夕日」は、昭和33年の東京下町が舞台。テレビ、冷蔵庫を買って大喜びするシーンが印象的だ▼あのころの電化製品は、人々に夢と希望を与えてくれた。苦境脱出のため、時代をひらく新製品の開発を願うのは、きれいごとすぎるだろうか。

——２０１６年5月16日付

英国のEU離脱国民投票

――２０１６年６月24日付

日露戦争、日本海海戦で日本の連合艦隊がロシアのバルチック艦隊に大勝したのは教科書でおなじみ。ただ連合艦隊の主力艦が英国製だったことを知る人は少数だろう▼当時、英国といえば世界最強の海軍国。日本軍のとった作戦の成功や兵の士気、練度の高さはもちろんだが、兵器が優秀だったのは大きな勝因だ。それを忘れて日本は夜郎自大になっていく▼両国はその後は袂を分かち、日本はドイツに傾倒していく。プライドの高すぎる英国に比べ、ドイツは日本軍人に対して女性がらみの接待をして懐柔したという秘話もある▼かつては七つの海を支配した大英帝国の誇りが、今回のEU離脱国民投票の結果にも表れているのでは。「EUでドイツ、フランスに主導権をとられてたまるか」と▼日本と同様に英国は島国。他国と接していないため、現実を見ないで理想を求める傾向がある。自国や世界の経済安定のためにはEUにとどまるべきだった▼日本海海戦時は「天気晴朗なれども波高し」。これからの世界情勢は「天気荒天、さらに波高し」。日本丸は慎重な航海が必要だ。

「泣いて馬謖を斬る」

——2016年7月11日付

最近はあまり使われなくなった故事成語に「泣いて馬謖《ばしょく》を斬る」がある。中国の「三国志」で、蜀の軍師・諸葛孔明が、愛弟子を処刑した話に由来する▼重要な戦いで、馬謖は孔明の指示に背いて敗戦を招いた。有能な将を惜しむ声もあったが、孔明は泣いて馬謖を処刑した▼優秀な者であっても責任を不問にすることはあってはならない。自分に近い人物であっても、処分をあくまで公平にした孔明は、後世まで称えられている▼県警は男性巡査部長を、ひき逃げなどの疑いで書類送検し、停職1月の懲戒処分にしたと発表した。「逃走、証拠隠滅の恐れがない」と逮捕はなく、氏名の公表もなかった▼パンを盗んだ小説「レ・ミゼラブル」の主人公ではないが、ホームレスがおにぎりを万引しても逮捕、氏名発表されるのにである。公平性の面で、今回の県警の処分に首をかしげる人は多いのでは▼日本警察の信頼度は世界一と言われる。だからこそ「泣いて馬謖を斬る」故事を忘れないで欲しい。でなければ、レ・ミゼラブルの邦題「ああ無情」な世の中になってしまう。

秘密の喫煙室

――２０１６年10月25日付

「梅にウグイス、松に鶴、ボタンに唐獅子、朝吉親分に清次」とは映画「悪名」で、清次に扮する田宮二郎の小気味いいセリフだ▼それでいえば、新聞記者にたばこは欠かせなかった。筆者が入社した30年以上前、小社編集部は、紫の煙が充満していた。「吸わないと原稿なんか書けるか」と豪語する古参記者がいた▼時は遷《うつ》り、今は編集部内は全面禁煙。吸う吸わないは個人の自由だが、受動喫煙の問題があり、最近は公的施設での禁煙は徹底されてきたようだ▼そんな折、大和高田市立高田中で教員が空き部屋を〝秘密の喫煙室〟として使用してきたことが分かった。喫煙者は教員28人中7人。部屋は使用禁止となり、校長が全校集会で報告、謝罪したという▼同市教委によると、平成15年に、全ての市立小中学校、高校に対し施設内の禁煙を通知。同25年には敷地内の全面禁煙を通知していた▼高校時代、隠れてトイレで喫煙して教師に叱られていた同級生を思い出した。逆に「先生、ここはたばこを吸うところではありませんよ」。生徒に叱られては、情けないではないか。

副作用のある劇薬

――２０１６年12月8日付

カジノ法案が国会で審議されている中、世間の話題になっているのが、日本ギャンブル史。「日本書紀」に記載されている685年、天武天皇の天覧双六《すごろく》が初らしい▼とすれば場所は飛鳥。相撲や酒などと同様、やはり本県が日本ギャンブル発祥の地なのだろう。といっても、記念碑などで顕彰されるわけはないが▼カジノの街といえば米国ラスベガスが世界で最も名高い。昨年、旅行した経験からからいえば、カジノ推進派の言うように治安は悪くない▼ただ、金持ちの観光客目当てなのか、街で物乞いをする人が多いのには閉口した。貧富の差の激しい米国の縮図を見る思いがした▼カジノ推進派は、日本でカジノが解禁されれば数兆円の経済効果が生まれると主張。マカオなどを例にとればそうなのかも知れない。しかし、この経済のカンフル剤は大きな副作用のある劇薬になりかねない▼ラスベガスは何千人収容の大ホテルが林立するが、ほとんど客室にバルコニーがない。「カジノですっからかんになって絶望して飛び降りる人がないように」との都市伝説がある。

「森友学園」と名誉校長

――2017年3月3日付

「石を投げれば名誉教授に当たると冗談を言い合ってます」と、ある大学の名誉教授から聞いたことがある。高齢者社会が理由だ▼大学を退官すると亡くなるまで名誉教授であり続ける。ところが、現役の教授は定員があり、人数はほぼ一定を保つ。長寿社会ゆえに名誉教授が増え続け、その大学では現役教授の数を抜いたのだそうだ▼教授経験者に名誉の肩書きがつくのは分かるが、名誉校長は教職経験者だけではなく、「広告塔」として著名人がなる場合もある▼国有地が格安で売却されて問題となっている「森友学園」。政治的圧力が取り沙汰《ざた》されており、安倍首相の昭恵夫人が名誉校長を辞任して済まされる問題ではないだろう▼安倍首相は「しつけ」など同学園の教育方針に共鳴したと国会で述べたが、戦前の教育勅語の暗唱など時代錯誤の教育が「美しい日本を取り戻す」ことになるのだろうか▼戦前の日本の平均寿命は50歳に満たず、先進国では最低クラスだった。名誉教授が多くなったのは、戦後日本人の努力のたまものと喜ぶべき。得体の知れない名誉校長は願い下げだが。

崩壊しかけている憧れの弁護士像

――2017年3月18日付

中学生のころ、授業で将来何になりたいと聞かれ、「売れない弁護士」と答えた記憶がある。何となく憧れを抱いていたからだ▼ペリー・メイソンを筆頭にテレビドラマや映画に登場する弁護士は正義感にあふれ、かっこよかった。「売れない」とつけたのは清貧を目指していたのかも知れない▼法学部に入学するも超難関の司法試験を受験するだけの学力も根性もなく、早々に断念。が、図書館で勉強する司法試験浪人を見ると「頑張って」と陰でエールを送った▼ところが、法科大学院の創設により弁護士数が増加し、最近は質も玉石混交となってきているとか。さらにがっくりきたのが、弁護士出身の稲田朋美防衛大臣の発言だ▼「森友学園」訴訟代理人として出廷しておきながら断固否定し、バレると「記憶に基づいた答弁で、虚偽ではない」と詭弁《きべん》まがい。弁護士を尊敬していた小生には、アイドル歌手が覚せい剤で捕まったようなショック▼発言が真実であるなら、劣悪な記憶力で弁護士とは。弁護士像は崩壊しかけているが、これはあくまで例外であって欲しい。

映画「金環蝕」と政治腐敗

周《まわ》りは金色の栄光に輝いているが、中の方は真っ黒に腐っている。太陽が月の後ろに隠れて細い光輪状に見える天文現象の金環蝕を、政治の世界にたとえている▼石川達三の小説を原作にした山本薩夫監督の映画「金環蝕」（昭和50年）は、このような冒頭のナレーションで始まる。実際にあった九頭竜川ダム汚職事件をモデルにして、政治の腐敗を描いている▼ダム建設に関連してゼネコンが政治家に巨額の献金を行い、不正に工事を落札する。さすがに40年以上前の作品だから、このような露骨な出来事はなくなってきているのだろう▼今、観賞して印象に残るのは、事件を追及する国会の委員会。九頭竜川ダム問題は実際に関係者が不自然な死をとげるなどして、真相があやふやになってしまった▼安倍首相の友人に便宜を図ったのではないかとされる加計学園疑惑の国会での追及も、同様にあいまいなまま終わるのではと危《き》惧《ぐ》される▼加計学園疑惑についての政府や安倍首相の説明に、納得できない人は多いのではないだろうか。政治の金環蝕は消してもらわねばならない。

――2017年8月9日付

「アベック」は死語

――2017年8月17日付

20年以上前になるだろうか、奈良新聞の営業部門に所属していた時に、ある企業の広告記事を書いた。「アベックに人気の」との表現が「カップルに人気の」と担当者に書き直された▼当時は「今はアベックよりカップルの方がはやりなのか」と深く考えなかったが、最近はアベックとの言葉自体がほとんど使われず死語に近くなっている▼「さらに悩ましい国語辞典」（神永曉著）によると、アベックはフランス語、カップルは英語から由来していて、日本ではほとんど同じ意味に使われている▼アベックが衰退したのは、いわゆるアベックホテル、アベック旅館などアベックが「いやらしい」語になってきて敬遠されるようになったとの説が有力らしい▼これは数年前の話だが、「国鉄の駅前近くの」と言って若い人に「何ですか国鉄って」と笑われた経験がある。アベックを使う使わないも、世代を判定するリトマス試験紙のようなものかも▼「歌は世につれ、世は歌につれ」と言われるが、言葉も世につれ変化し続けているのだろう。「歌は世につれって何ですか」と言われそうだが。

市長の暴言と山手線の経験

――2018年1月5日付

もう40年ほど前になるだろうか。友人数人と東京の山手線に乗車。「おまえ、あほか」「1回、死んでまえ」。大声で仲良くしゃべっていた▼ふと気付くと、周囲にいた人々がいつの間にか、いなくなっている。駅に停車したわけでなく、私たちの言動に怖気づいて遠ざかってしまったようだ▼「あほ」は東京では「ばか」。ばかを連発すると本当にけんかになってしまうだろう。関西出身のお笑いタレントの全国的な活躍で、今は東京の車内で敬遠されることも少なくなったのではないか▼ただ、「あほ」「死んでまえ」も、言った方と言われた方に親しい信頼関係があった場合のみの言葉にしておきたい。本来は人を侮辱する言葉だ▼兵庫県西宮市の今村岳司市長が、取材しようとした新聞記者に対して「殺すぞ」などと話した。今村市長はこの記者の以前の行動を怒っていたというから、冗談でなく暴言だ▼その後の報道によると市長に心からの反省はなさそうだ。周囲から人が去っていて、遂には車両に一人きりになってしまう。山手線の経験から、そのような連想をしてしまった。

鉛筆サックと「トヨタ物語」

――２０１８年３月13日付

鉛筆サックをご存知だろうか。短い鉛筆を最後まで使い切るために、鉛筆の後ろに差して長さを延長させる道具だ。筆者の新入社員時代、上司からこんな話を聞いた▼「トヨタ本社は、サックを使えなくなるくらい鉛筆が短くなって、それと交換でしか、新しい鉛筆を社員に渡してくれない。おまえらはすぐ新しい鉛筆をくれという」▼この逸話は、鉛筆のほかボールペン編もあり、どうも都市伝説くさいのだが、上司としては「トヨタのような大企業でさえ1円の経費も無駄にしていない」と言いたかったのだろう▼創業から現在までのトヨタの歴史を紹介する「トヨタ物語」（野地秩嘉著、日経BP社）を読んで、かつての上司の言葉が鮮明に甦った▼今や世界を席巻した感のあるトヨタ式生産方法とは何か。在庫を持たない「かんばん」方式、現状で満足せずに、常に自分で考え無駄を省く「カイゼン」▼進化を目指す合理主義だ。自動車会社関連の本というと、新エンジン開発とか自動車レースの血湧き肉躍る内容が多いが、生産方式がメインとはいかにもトヨタらしい本だ。

1970年大阪万博

――2018年8月3日付

2025年万博の誘致活動が大阪府・市を中心に展開されているが、1970年大阪万博の仕掛け人と言われる作家の堺屋太一氏が「地上最大の行事　万国博覧会」（光文社新書）を出版した▼堺屋氏が博覧会好きになるのは、御所市に住んでいた13歳の中1生時代にさかのぼる。1948年、母とともに大阪・天王寺公園「復興大博覧会」を訪れた▼白黒テレビの実験放送などの行事に興奮、家に帰ると会場の配置設計や展示館の立面図を描いた。半年あまり建築雑誌を買っては空想を続けたそうだ▼11歳だった筆者の大阪万博の記憶は今も鮮やか。アメリカ館、アポロ12号が持ち帰った月の石に宇宙の夢を見た。4時間半並んで入ったソ連館の重厚壮大さ▼当時過去最高のべ6422万人の入場者を集めた大阪万博。戦後高度成長を象徴する一大イベントについては、評価が分かれる▼ただ、若手を積極的に登用し、建築家、デザイナーなど国際的に活躍する人材を育成したのは確かだ。一過性に終わらず後世に何を残すか。博覧会・イベント「飽食の時代」の課題といえる。

宇宙旅行の実現は近い？

——2018年8月26日付

「2001年宇宙の旅」は、アポロ11号が月面着陸を果たした前年、昭和43年公開の洋画である。やや難解だが、SF映画不朽の名作として知られている▼木星探検に出掛けた宇宙船の物語なのだが、世界最高のコンピューター「ハル」が自我に目覚め、創造主の人間を裏切る。そこに明るい未来ではなくペシミズム（悲観主義）を感じた▼2001年からかなりたっても宇宙の旅は遠い。と思っていたら、「民間宇宙飛行実現へ」のニュースが本紙25日付で掲載されていた▼民間宇宙旅行の実現を目指す米宇宙ベンチャー企業が、早ければ今年中に初の有人試験飛行に挑む意欲を示している。安全確保ができれば宇宙の旅は実現間近だ▼宇宙空間を飛行するのはわずかな時間だが、乗客は無重力状態を楽しめる。「地球は青かった」「空中を浮くのは楽しい」と夏休みの日記に子どもたちが書くかもしれない▼未来は十分明るいじゃないかと喜んだが、料金は1人当たり2千万～3千万円強との観測が。申し込めるのは世界の金持ち連中だろう。やはり未来はペシミズムに満ちている。

ハシゴ酒は昭和日本の文化か

「チョイト一杯のつもりで飲んで、いつの間にやらハシゴ酒」は植木等が歌ったスーダラ節（昭和36年）の冒頭。高度成長期のサラリーマンの心情を吐露した青島幸男の作詞が秀逸だ▼ハシゴ酒は日本独特。ロシア人の知り合いによると、日本企業の接待で飲み歩かされたロシアのビジネスマンが「日本人はこんなに飲むのか」と閉口したそうだ▼ところが、ハシゴ酒はともかく日本人の酒量はそれほどでもない。世界保健機構によると、1人当たりの年間純アルコール消費量（２０１６年）はリトアニア15リットル、ドイツ13・4リットルなど欧米が多く日本は8リットル▼アルコール依存症は世界で推計1億4400万人、成人人口の2・6％だが、日本は1・1％と米国7・7％、ハンガリー9・4％などに比べ低い▼スーダラ節のようにに泥酔してホームのベンチでゴロ寝していたのは昭和世代。ハシゴ酒に付き合わないサラリーマンが多くなった▼女性芸能人の飲酒ひき逃げ事故が社会問題になったように、違法、過度な飲酒は厳禁。酒はスマートにたしなみたいというのは自戒の意味を込めて。

――２０１８年10月６日付

カルロス・ゴーン容疑者逮捕

――２０１８年11月22日付

　数年前、女子プロレスラーが「カルロス・ゴーン」と名付けられた技を使うのをテレビで見た。何のことはないゴーンと頭と頭をぶつける単なる頭突《ず》きである▼日産のトップであったゴーン容疑者の名は、日本中に轟《とどろ》いていた。ゴーン容疑者の逮捕で、頭突きされたような衝撃を受けた人は数多かっただろう▼倒産寸前の自動車会社を救ったカリスマ経営者。それが一夜にして、巨額な役員報酬を虚偽記載したり、会社の金を私的に流用していた「強欲な独裁者」と疑われるのだから驚きだ▼一人の人間に長い間、権力を集中するとしばしば「裸の王様」になってしまうのは歴史が証明している。ただ、今回の事件には不明朗な点が多過ぎる▼ゴーン容疑者の指示で動いた部下は少なくないはずだ。犯罪の捜査に協力する見返りに自分の起訴を見送ってもらったりする司法取引が取り沙汰されている。ハリウッド映画のような展開になってきた▼昭和世代の人間としては、これを機に、かつて日本グランプリレースでポルシェと死闘を繰り広げた「技術の日産」の再生を願うばかりだ。

AI活用で仕事はどうなる

――2019年2月13日付

　何気なく証券会社のホームページを見ていて驚いた。人工知能（AI）が投資する推奨銘柄を教えてくれるのだという。AIは相場師でもあるらしい▼また勝負師の世界にもAIは進出。囲碁や将棋でもAIの進化は著しく、人間はAIにかなわなくなってきている。人間コンピューターと異名をとった棋士がいた時代が懐かしい▼幼いころに見たSFの映画やアニメで人工知能が暗躍するシーンが潜在意識にあるためか、筆者は個人的に人間臭さのないAIを恐れている▼しかし、AIは人間のために滅私奉公してくれるのが本来の姿。県は来年度、県内の5市町村を募集して、共同でAIを活用した窓口業務のシステムを試験導入する方針を固めた▼滋賀県の大津市教育委員会は、AIを活用して、小中学校でいじめの疑いがある事案のデータを分析し、深刻化の可能性などを予測する取り組みを始めるとか▼どのような仕事をAIにまかせるか。今後はそれを選別する時代となるのだろう。好き嫌いの感情がないAIは、本欄のようなコラムは書けまいとたかをくくっているのだが。

「会議は踊る」、空転する国会

「会議は踊る」は、ナポレオン失脚後のウィーン会議（1814年）を題材にした独のオペレッタ映画（1931年）。現代日本でも「会議は踊る、されど進まず」を経験した人は多かろう▼議論下手が多い日本人は会議があまり得意でない。第2次大戦時の大本営作戦会議では、合理的な考えの参謀らをどう喝した強面《こわもて》参謀の無謀な計画がまかり通り、悲劇的な敗戦につながった▼そんな状況は現在もあまり変わらない。国内最高の会議である国会も建設的な議論になっていないことが多々ある。「会議は踊る、空転する」か▼「沈黙は金」「男は黙って…」は日本人の美点の一つかも知れないが、国際社会で通用はしない。議論について、欧米のように小さいころから学ぶべきだ▼県は来春、奈良市の県営プール跡地に国際会議場を整備する。これまで県内では対応できなかった大規模な会議を開催できるという▼県の観光振興、活性化が主な目的だろうが、巨費を投じるからには、教育の面でも活用できないだろうか。将来、国際会議で活躍するような人材を育成するためにも。

――2019年3月1日付

火事の現場写真いまむかし

「勢いよく燃えている火事の写真」。被災者には誠に申し訳ないのだが、撮れたら記者の勲章であった。いかに火事現場に早く到着するか各社で競い合った▼警察から新聞社に火事の連絡があってからでは、すでに消えている場合が多い。ある先輩はサイレンを鳴らしている消防車の後を車で追い掛けたと自慢していたが、いささか危険ではある▼今は現場到着が遅くてもいいじゃないか、と若手記者。「火事現場にいる近所の人が、携帯電話やスマートフォンで火事を撮っているのを探せばいい」とか▼そういえば、新聞やテレビで読者、視聴者提供の事故の写真、動画を見る機会が多くなった。携帯・スマホの普及は、こんなところにも影響している▼インターネットで誰でも情報発信できる。速報性でテレビに後れを取ってきた新聞だが、テレビでさえ速報性で素人の後塵を拝している▼ライバルは不特定多数。とすれば、新聞の報道とは何に重きを置かなければならないか。正確性、信頼性、社会性。より磨き抜かなければならない。

――2019年6月30日付

アルゼンチーナ「花園」で祝杯

――2019年10月1日付

亡きピアニスト中村紘子さんの著書に「アルゼンチンまでもぐりたい」がある。地球の裏側までの穴があったら入りたいほどの失敗談が綴《つづ》られている▼それほど遠い国から、本県のお隣東大阪市まで大勢のアルゼンチン人がやってきた。花園ラグビー場であったラグビーW杯アルゼンチン―トンガ戦の応援である▼さすが南米、とにかく陽気である。近鉄東花園駅からラグビー場までの道は、試合前からすでにカーニバル状態。ビール片手に騒いでいるグループがあちこちに▼どれくらいの日程で来日しているかは分からないが、弾丸ツアーではあるまい。「仕事は休んでいるのか、長旅の費用は」と心配するのは日本人気質だろう▼試合結果はアルゼンチンの勝利に終わって大喜びだった同国サポーター。祝杯を挙げる光景が見られたが、もし負けていたとしても、残念会で一杯に違いない▼老後に足らない年金、消費増税による景気減速の懸念など先行きはどうもブルーな日本。「心配しないで、楽しもうじゃないか」とアルゼンチーナに肩をたたかれた気がした。

自動運転車の実証実験

子どものころ、未来から来た少年スーパージェッターが活躍するテレビアニメに夢中になっていた。ジェッターの乗り物「流星号」は、主人の声の命令に反応して動く▼「流星号」ほどではないが、このようなＡＩ（人工知能）は現在の自動車にも取り入れられている。ナビはドライバーの声に順応、衝突回避ブレーキなどの完全装備も発達した▼さらに技術を進化させて、出発から目的地へＡＩにまかせっきりになる完全自動運転は、開発競争に全世界の自動車各社がしのぎを削っている▼高齢者による交通事故が激増。運転能力が衰え不安だが、どうしても自家用車を利用しなければならない人はいる。自動運転は、人の命を守る技術革新である▼奈良市の国営平城宮跡歴史公園で、ベンチャー企業が開発した自動運転車の実証実験が１日まで行われている。先端技術を駆使した「スマートシティ」の実現に役立てる▼試乗した記者によると、装着したＶＲゴーグルで１３００年前の風景が映し出されたとか。過去と未来が交錯して、新しい世の中が開けるのだろうか。

――２０１９年12月1日付

マスコミ全体が大きな岐路に

――2020年1月20日付

業界で働く者にとっては衝撃的な数字だった。某新聞の世論調査「日本の組織・団体が信用できるか」の問いに、マスコミが「信用できない」が46％でワースト1位なのだ▼政治家と同率。3位は教師で27％。ネット上で「マスゴミ」と批判されているのは知っているが、無作為抽出の調査でこれほどの悪評価とは▼マスコミといっても、新聞、テレビ、雑誌など多種ある。スクープ至上主義で人権を無視する一部マスコミの〝暴走〟が、悪印象を与えているのかも▼「新聞記者は、警察署のソファでふんぞり返って新聞を読んでいる」と、三十数年前の駆け出し記者のころ親せきから言われた。昭和のころから「上から目線」の記者はいた▼もっとも、現在のマスコミ批判の中には、ものごとの表面しか見ていない非難も多い。実際に記者の仕事ぶりを知れば、誤解も解けるのではないか▼世の中には、守っていかなければならないものもあれば、変える必要があるものもある。昭和のままであっては、令和の時代に生き残れない。マスコミ全体が大きな岐路にあるのは確かだ。

価値観の転換点

――2020年1月29日付

知り合いのロシア人の話。ソ連崩壊前に家族でモスクワ旅行した際、永久保存（防腐処理）されたレーニンの廟を訪れた▼ロシア革命の父である、レーニンの遺体を見るためにソ連各地から人が集まり、2時間以上並んだとか。子どもだったので、「気持ち悪いのを見るために何で2時間も」との感想を抱いたという▼ソ連崩壊時には、レーニン像を民衆が壊している映像が日本でも放映されていた。ロシアではソ連崩壊前と後では価値観がコペルニクス的転換した。日本は昭和の戦争前と後では、そうだった▼その後の大きな転換点は何だったかと考えると、経済の面ではバブル経済崩壊ではないか。右肩上がりの高度経済成長がマイナスに転じた▼「日本は一億総中流」と言われたのは昔話。非正規雇用の増加などにより、国民間の格差が広がっている。「上級国民」「下級国民」が流行語だ▼雇用環境が厳しかった「就職氷河期世代」の支援が課題になっている。奈良労働局は、同世代への就職支援や求人企業の募集などを始めた。これ以上の格差拡大は、日本崩壊に結びつきかねない。

「働き方改革」への違和感

――2020年2月28日付

新型コロナウイルスの感染拡大により、感染予防のためテレワークによる在宅勤務に切り替える企業が相次いでいる。ただ、在宅勤務したくても出勤しなければならない人がほとんどだ▼少しでも熱があったら出勤しないで自宅で休む。まさに正論なのだが、日本の社会はこれまでそうなっていない。休まず働いているのを自慢する人も▼個人を犠牲にして帰属する団体の利益を優先する。日本人の美徳とされるが、今回は慎重な行動をとることが、感染防止につながり、結局は団体の利益になるとするべき▼ドイツの哲学者、ハンナ・アーレントは人間の行為を「労働」「仕事」「活動」に区分。生存するため仕方なくするのが「労働」、芸術、創作など、やりがいのある「仕事」、集団生活が「活動」だ▼個人的に政府の進める「働き方改革」に違和感があるのは、行為を均一に時間で計る点だ。いやいや働くことを少なくするのが、真の働き方改革ではないか▼AIやネットなどの活用により、人間の自由な働き方を探る。新型ウイルスの感染拡大は多くのことを考えさせてくれる。

コロナ禍での「情報の真贋」

——2020年3月6日付

新書大賞に輝いた「独ソ戦」（大木毅著、岩波新書）に、ソ連のスターリンが独のヒトラーの急襲に無警戒だったのが記述されている▼予想情報は多かった。在日のゾルゲをはじめ世界各国のスパイから、送り届けられた情報は、百数十件とも。それを無視した結果、最終的に勝利したとはいえ、ソ連は2700万人とも言われる犠牲者を出した▼現代はインターネット全盛。スパイ網をはりめぐらせなくとも、大量の情報が入手できる。ただ、玉石混交である。というより、石が玉を圧倒している▼日本をパニックに陥れているコロナウイルスにしても、「コロナビールを飲んだりバナナを食べたら感染する」というような荒唐無稽な話があふれている▼いつの間にか、スーパーや薬店の棚からトイレットペーパー類が消えていた。マスクが不足する理由は分かるが、トイレットペーパーなどデマに振り回されているとしか言いようがない▼歴史は繰り返す。昭和48年、オイルショック時の狂騒を思い起こした。コロナウイルスに打ち勝つには、情報の真贋《しんがん》を見極める力が必要だ。

ローン申請での職業差別

有名な演歌歌手が若いころ、弟が私立の医科大に入学するため、銀行に融資を申し込んだ。新鋭とはいえ名前もそこそこ売れていたのだが、けんもほろろに断られたという▼筆者の弟は大学生時代、自動車を購入するため某銀行にローンを申請した。受け付けた行員から親の職業を聞かれ、農業と言ったら「それじゃダメだなあ」と▼それを聞いた父親が、取り引きのあった、その銀行の支店に怒鳴り込んだ。「農業だったら貸せないのか。職業で差別するのか」。担当者と支店長が陳謝したそうだ▼ともに数十年前の話なので、現在はどうか知らない。しかし、定期的な報酬が見込まれる会社員、公務員に比べ、収入が安定しない職業が、融資、カード審査などで不利な点があるのは否めない▼コロナウイルスの感染拡大防止のため、イベントの中止が相次いでいる。出演者、スタッフらは無収入どころか、多くの負債を抱えなければならない場合も▼未曾有《みぞう》の災厄である。国もフリーランスへの支援を打ち出しているが、金融機関をはじめ国民は「助け合い」の精神を持ちたい。

――2020年3月15日付

コロナ拡大で自殺者増を懸念

——２０２０年3月19日付

「都会では自殺する若者が増えている」と歌ったのはシンガーソングライターの井上陽水だが、半世紀後の今も若者の自殺が増加している▼警察庁がまとめた令和元年の自殺者数は、統計を開始した昭和53年以来最少の２万１６９人だった。しかし、10代の自殺は逆に前年の５９９人から６５９人に増えた▼悩み多き思春期である。自ら命を絶《た》つには、家庭や学校、進路など様々な原因があるのだろう。陰湿ないじめも後を絶たない。10代の心のケアを考えねばならない▼全自殺者の中で、原因・動機を特定できたのは１万４９２２人。最も多かったのは健康問題の９８６１人で、経済・生活問題の３３９５人が続く▼超高齢化時代を迎え、健康面の介護問題が大きくクローズアップされている。独り暮らしや、夫婦ともに高齢者となる老老介護など山積している課題をどう解決するか▼コロナウイルス感染拡大が、観光、レジャー産業を中心に日本経済に大きな打撃を与えている。このまま大不況となれば、経済的な理由による自殺者の増加が危惧される。早急に対策が必要だ。

「女性、それがどうしたの」

――2020年4月2日付

3月3日付で県警香芝署の副署長に就任した増田朋美さんのインタビューが本紙で掲載された。県警初の女性副署長となるが「特別という意識はない」という▼30年以上前に、ある視察団に同行して米国を訪れた。某組織のトップが女性で、1人の団員が「女性で大変ですね」と質問した。「女性、それがどうしたの」と不可解な顔をされたのが今も記憶に残る▼警察官とともに新聞記者も、かつては各社とも男が圧倒的多数を占めた。今は女性記者の数が増え、質量ともに男性にひけをとらないようだ▼本屋の店員らが選ぶ本屋大賞は、読んで面白くかつ感銘を受ける小説が受賞しているので、個人的には一番好きな文学賞だ▼昨年は県在住の瀬尾まいこさんが受賞したが、調べてみると5年連続して女流作家が栄冠を得ていた。きめ細かな心理描写は、紫式部の伝統を引き継いでいるのでは▼政治の分野でも女性の進出が著しいが、女性首相はまだない。県内の地方自治体も女性首長が誕生していない。「女性首長、それがどうしたの」の時代になることを期待したい。

コペルニクス的転回

――2020年5月3日付

「コペルニクス的転回」という言葉がある。ものの考え方が正反対に変わること。天文学者コペルニクスが、これまでの天動説を否定し、地動説を発表したのに由来する▼コロナウイルスの感染拡大により、コペルニクス的転回が多くなった。感染予防策として、政府などが求める「人と会うな。家にひきこもれ」もそうだ▼社会との関係を避け、自宅にひきこもる人たちが社会問題になっている。若年層だけでなく中高年層のひきこもりも増加し、減少させる対策が課題となっている。しかしながら今は、ひきこもりを推奨しているわけだ▼駆け出しの記者時代に「1日でどれだけ多くの人と会えるかが勝負」と教え込まれた。営業の外回りも同じだろう。それが今、否定されている▼観光は沖縄県の主要産業というより生命線といっていい。ところが、このGW中に県知事が「沖縄に観光に来ないで」と呼び掛けているのもコペルニクス的転回だ▼もちろん、緊急事態宣言発令中だからこそ。ただ、同宣言は延長の公算が大きい。早く出口戦略を見つけなければ社会が崩壊しかねない。

「情報」の採点が肝要

――2020年5月18日付

スキーのジャンプ競技の飛型点は、5人の審査員で採点。最高と最低の点を除外して、他の3人の点を合計する。公平を期するためだ▼この採点方法に倣い、筆者は最近、最も悲観的な情報と楽観的なのを除いて考えるようにしている。コロナウイルス感染拡大に関してだ▼4月にはテレビなどで「3週間後の東京は、(死者1万人以上の)ニューヨークになる」「日本では1年間に数十万人が死亡する」などの予想があった▼営業する飲食店に嫌がらせをするなど、「自粛警察」と言われる人々が社会問題になっているが、このような予想をまともに信じた人が、過激な行動に走るのも分からなくはない▼もちろん、今後の感染状況によっては死者数十万の可能性もゼロではない。ただ、3週間後などの明らかに外れた予想については、発信した専門家、メディアは説明する責任がある▼といって、「はやり風邪で、いずれ収まる」も安易過ぎる。まだまだ油断は禁物。過多な情報に惑わされず、「手洗い励行、人との距離を空ける」など、できることを粛々と実行するしかない。

昭和は遠くなりにけり

昭和の時代である。県内の某記者クラブの記者会見室にはマージャンのセットがあり、会見のない昼間、記者らが興じていたという▼先輩記者によると、遊んでいるようにして他社の記者に油断させる意味もあったらしい。クラブのソファで寝てばかりの記者も要注意だった▼役所が終わる午後5時からが、本当の仕事だ。幹部とスナックに飲みに行く。マージャンをする。取材相手の懐に飛び込んで懇意になり、記事のネタを提供してもらうのが狙いだ▼このようにして、どれだけ多くの「ネタ元」を持っているかが記者の力量だった。「記者会見で出てきたネタは各社共通。それでは特ダネは取れない」と教わった▼といっても、取材対象と仲良くなり過ぎてもいけない。情が移って不祥事など書けなくなる。時として非情となるのも必要。でないと、癒着になる▼東京高検の黒川弘務検事長（辞職）と、大手新聞記者らの賭けマージャン。「ネタ取り」の意図もあったと思われるが、新型コロナウイルス緊急事態宣言中であり、今の時代では容認できない。昭和は遠くなりにけり。

――２０２０年5月27日付

奈良

「神と仏と大和の心」

——２０１３年12月13日付

寒さが厳しくなると屋外で行動するのがおっくうになり、休日によく図書館を利用している。日本人の「本離れ」が取り沙汰されているが、絵本などを探す親子連れを見ると「知のオアシスは健在」とほっとする▼年間６万点にのぼる新刊書籍の中から、図書館がどの本を蔵書として決めるかは重要。参考となるのが日本図書館協会の図書選定事業だ▼その選定図書に奈良新聞社の最新刊「神と仏と大和の心」（四六判、２５５頁、２１００円）が選ばれた。著名社寺などの各宗教者計19人へのインタビューをまとめている▼個々の宗教関係の本は莫大だが、これほど多彩な人物が登場し、多様な立場から「日本の心」を語っている著作は少ない▼日本のふるさと奈良は、日本宗教のあけぼのの地でもある。多様性を尊重する「和の精神」が生まれたところ。独善的に自らの宗教について語る人はなく、特に宗教について深い知識や信仰がなくても理解しやすい内容だ▼道を極めた各宗教者の珠玉の言葉に、「混迷する現代をいかに生きるか」のヒントが隠されているのではないか。

「地域ブランド」全国6位

——2014年12月9日付

百貨店で高級ブランド品がよく売れている。株価が上昇し、富裕層が潤っているからか。逆に円安で食料品が値上がりし、生活が苦しくなっている人も多い。一億総中流と言われた時代が懐かしい▼ところで、目に見えないブランドを、言葉で説明するのは難しい。性能では圧倒する日本製電子時計も、ブランド力ではスイス製機械時計にまったく及ばないのは、イメージが重視されるからか▼47都道府県対象に、認知度や魅力度、イメージなどの調査を実施したブランド総合研究所の「地域ブランド調査2014」によると、奈良は全国6位となっている▼上位を見ると、1位北海道以下、京都、沖縄、東京、神奈川と続く。いずれも都会や観光地であり、人が憧れを抱く地域である▼ワーストは茨城県。昨年も最下位の同県は、ブランド力を上げようと様々な取り組みを行ったが無理だった。努力とは正比例しないらしい▼近畿では京都に次ぐ奈良のブランド力。謙虚な県民性ゆえに「そんなに上か」と驚く人も多いのでは。〝逆裸の王様〟ではないか。高級ブランドを誇ってよい。

四方一両得

3者が1両ずつ損をして一件落着となる「三方一両損」が古典落語にあるが、この場合は「三方一両得」になるのではないだろうか。県とプロ野球オリックス、帝塚山大学による連携事業である▼9月23日に橿原市（佐藤薬品スタジアム）で開かれるオリックス対阪神のウエスタンリーグ戦を、帝塚山大学の学生らが企画運営し、会場を満員にするのを目標とする▼オリックスは、ウエスタンリーグ戦で開催地域と密着した様々な取り組みをしており、今回の企画が成功すれば大勢の観衆を集められて得▼帝塚山大は、学生らにプロ野球の企画運営という貴重な体験をさせることができる。授業の中で提案されたアイデアを机上ではなく、実際の社会で実践できるのは得▼県内に本拠を持つプロ野球球団はない。この事業を連携することによって、県は文化、教育、スポーツの振興に役立てられ得▼宿泊施設数は全国最低で、県民が県内で消費する割合も低レベルの本県。今回の事業で若い学生らが「商売」を学び、将来に県活性化に役立ててくれれば、県民も得の「四方一両得」。

――2015年6月1日付

「オーベルジュ」に思うこと

——2015年6月16日付

高校受験のころ。担任が「得意な科目を80点から100点にするには至難。しかし、苦手な科目を60点から80点にするのは十分に可能。だから、苦手科目に力を入れた方が合計点を上げられる」▼県が「なら食と農の魅力創造国際大学校」に併設するオーベルジュ（宿泊付きレストラン）の概要を知って、やや皮肉な見方だが苦手科目に力を入れるのかと思った。食と宿泊である▼「奈良にうまいものなし」はかつての話だが、それでも食の魅力が大阪、京都などに比べて見劣りするのは否めない。学生が第一線のシェフに学べる場は食のレベルアップにつながる▼宿泊は9室と小規模だが、スイートルームも備え高級感がある。県内の宿泊施設数は全国最低レベルなので、新しいオーベルジュの誕生は歓迎だ▼オーベルジュの指定管理者はレストランやカフェを全国に展開する「ひらまつ」（東京都）。舌の肥えた顧客をオーベルジュに導いてもらいたい▼ただ、奈良市などに比べ、オーベルジュのできる桜井市の知名度は全国的に低い。食、宿にプラスアルファの魅力度創出が必要だろう。

「奈良まち奇豪列伝」

ネット社会の情報化時代は、人間が緻密になった分、均質化してきたように思えてならない。型破りなスケールの大きな人物には、なかなかお目にかからなくなった▼幕末から明治・大正、戦前にかけて奈良市を舞台に活躍した人物を取り上げた「奈良まち奇豪列伝」(奈良新聞社刊)が出版された。近代の奈良には、こんなユニークな人たちがいたのかと感慨深い▼登場する風変わりだが骨太な漢方医、写真師、町の科学者らに著者の安達正興氏は「奇豪」と名付けているが、これはネーミングの妙だろう▼何か人と違った行動をすると、日本ではすぐに奇人・変人とされる。封建社会の「村八分」もそうだ。鎖国の島国根性が抜けきらない面がある▼人と同じようにするのを教えるのが日本の教育で、欧米教育は人と違うことをするように教えると言われたものだ。日本では独創性がなかなか養われない▼外国人やハーフの人に対する偏見や、学校でのいじめなども大多数と違ったものに対する差別かも知れない。一人一人の個性が尊ばれ、多くの奇豪が輩出されれば、世の中もっと面白い。

――2015年7月16日付

高層建築の大先輩

——２０１５年８月23日付

東京、大阪の大都市中心部で50階建てほどの高層タワーマンションがブームだ。「郊外の一戸建てから都市部でのマンション住まい」と流行が変わってきている▼高所恐怖症気味の筆者からすれば、うらやましくもないが、やはり高層からの眺望が魅力なのだろう。上層部は億ションだが、低層だと価格も普通のマンションとあまり変わらないようだ▼耐震、免震をうたい、最新の建築技術が採用されている。とはいっても、火災や修繕の面で不安がなくはないとの意見も。老朽化した例がないのだから▼１０２階、高さ３８１メートルのエンパイア・ステート・ビル（ニューヨーク）が完成したのは戦前の昭和６年。あの山本五十六司令長官も見学し、国力が違うと対米戦に反対したのもうなずける▼しかし高層建築でいえば、奈良は大先輩だ。東大寺は奈良時代の創建時に、大仏殿を挟んで東西に塔が並び建っていた。七重塔で高さは約１００メートルあったとの説もある▼東大寺は７月７日、南北朝時代に焼失した東塔院跡の発掘調査を行うと発表。再建も見据えているというから、空高く夢が膨らむ。

初のコメンテーター体験

――2015年9月29日付

生まれて初めてテレビ出演した。ケーブルテレビ・KCNの情報番組「Kパラnet」。ある縁がありコメンテーターとして出演依頼されたのだ▼非ビジュアル系オヤジの出演で視聴者は戸惑ったかも知れないが、貴重な経験をさせてもらった▼テレビカメラの前、しかも生放送とのことで、あがってしまうと予想していたのだが、ごく自然に対応できた。筆者は聴衆を前にしての講演の方が緊張する▼実際に観客を前にする演劇人と、カメラを前に演技する映画俳優・テレビタレントとは根本的に違うのではないかと思った。それぞれ適性があるのだろう▼といっても、筆者がリラックスして収録できたのは、スタッフ、出演者の人たちの細かな気遣いがあったからに違いない。和気あいあいとした番組の雰囲気に自然に溶け込めた▼レポーターはできるだけ多くの人たちと出会うのが目標らしい。人々に親しまれているのが画面から伝わってきた。「いかに地域の人々とともに歩めるか」。媒体は違えども、地方新聞とケーブルテレビの使命は同じであると痛感した。

「雪丸カフェポエム」オープン

――２０１５年10月18日付

史上初の将棋三冠を達成した升田幸三には数々の名言がある。米びつを開けてみて米がいっぱいではいかん。空でも困る。枡を突っ込んだら米びつの底にあたって音がするぐらいがちょうどいい▼米がいっぱいなら安心しきって仕事をしない。空なら悲観して働く意欲が失せる。底にあたるくらいが、「さあ、これから頑張らないと」と、やる気が起こるとの意味だろう▼一部の芸能人に見られるが、金持ちの親が、こづかいを無制限に与えて子どもを甘やかすと、ろくな結果にならない。米がいっぱいすぎる例だ▼逆に、働きたくても働く機会、場所がないのは人を絶望的にしてしまうのではないだろうか。特に何らかの障害を持った人たちの雇用は大きな課題だ▼障碍者支援のＮＰＯが王寺町地域交流センター内に「雪丸カフェポエム」をオープンさせた。飲み物などを提供、健常者２人、障害者２～４人が接客する▼同様の店は県内に増えてきており、筆者も機会があれば利用している。「雪丸カフェ」は駅隣接ビルの５階で交通の便も良い。多くの人の利用を呼び掛けたい。

オクトーバーフェスト

――2016年6月18日付

「グループで酒を飲んで歌っていたら、日本人かドイツ人だと思え」という文句が欧米にはあるらしい。ドイツ以外の欧州人は個人主義が多いから、少し皮肉が入っているのだろう▼ドイツ・ミュンヘン発祥のビール祭である「オクトーバーフェスト」が奈良公園で開かれている。初上陸を含めた約85種類のビールが並び、楽団の演奏が雰囲気を盛り上げている▼1810年から始まった本場ミュヘンのフェスタは、9月中旬ごろから10月最初の週末まで。奈良の場合は音楽イベント「ムジークフェスト」に合わせて6月にある▼「6月なのにオクトーバー(10月)とはこれいかに」と当初はいぶかったが、蒸し暑い梅雨時にビールは意外と合うようだ。奈良のフェスタも今年で4回目となった▼16世紀に独バイエルン公によって公布され現在も残る「ビール純粋令」は、ビールは麦芽、ホップ、水、酵母のみを原料とするとある▼当時問題となっていた添加物の多い悪質なビール製造を防ぐための法律だったが、現在日本に欲しいのは、粗悪、不純な人物を排する「政治家純粋令」。

奈良の「隠れ名所」

法隆寺、東大寺など世界的に著名な文化歴史遺産に恵まれた奈良だが、一般にあまり知られていない名所、歴史的逸話も案外数多い▼「意外な歴史の謎を発見！　奈良の『隠れ名所』」（実業之日本社）が啓林堂書店（県内6店）のベストセラー1位となったのは、そんな穴場を知りたいという人が多い表れだろう▼「奈良通」の人たちの集まりである「奈良まほろばソムリエの会」のメンバーらが執筆。奈良に生まれ育った筆者でも目からウロコの内容だ▼例を挙げると、近所にある県馬見丘陵公園内の国史跡・ナガレ山古墳に設置されている円筒埴輪には、地域住民が粘土で制作したものが181本あるとは住民ながら知らなかった▼率川《いさがわ》神社のゆりまつりは「これほど美しい神事は見たことがなかった」と三島由紀夫が感嘆。有名な入浴剤のルーツは當麻寺・中将姫の秘薬だったらしい▼あちこちに出掛けていってポケモンを探して捕獲するスマートフォンのゲーム（ポケモンGO）がブームとなっているが、県内の各地域を歩くとポケモン以上に面白い新発見があるのではないか。

――2016年7月25日付

奈良少年刑務所の活用

——２０１６年8月10日付

初老の紳士は、宿泊しているホテルの煉瓦《れんが》造りの壁を感慨深そうに眺めた。青年時代、自暴自棄で過ちを犯し、かつてこの建物の中で自らが鍛えられた。少年刑務所で過ごした日々を回想したのだった▼と、ここまではフィクション。今年度末で閉鎖する奈良少年刑務所の跡をホテルなどに活用する方針があると知り、想像力がふくらんだ▼もう30年以上も前になるが、大学のゼミで同刑務所内部を見学した。本来は20歳以下の少年を収容するが、その当時から26歳未満の成人で、軽い罪の受刑者が多かった▼正直、少年刑務所には先入観を持っていた。しかし、受刑者には比較的自由な時間もあり、職業訓練など更生させる教育に力を入れていると職員から聞き、視野が広がった気がした▼同刑務所は明治時代の建物で「日本の近代化の記念碑」として歴史的価値が高く評価されている。民間資金を導入し、耐震補強して保存活用する方針▼ホテル転用となれば日本初。単に建物の魅力だけでなく、多くの人々に更生教育、更生施設への理解を深めてもらえる施設となって欲しい。

流しそうめんでギネス認定

御所市民でつくる「TUNA―GOSE実行委員会」が、長さ3317・7メートルの流しそうめんに挑戦し、見事にギネス世界記録に認定された▼これまでの最長記録を101メートル更新した。たかが流しそうめんではない。半分に割った長さ3～5メートルの竹1600本を用い、市民ら挙げて取り組んだ。ギネス認定は元気を与えてくれたに違いない▼何といっても県は、そうめん発祥の地。桜井市の大神《おおみわ》神社に伝承がある。三輪の土地と川の清流がそうめん造りに適していた▼桜井、天理両市は「日本麺食文化のルーツ三輪素麺―三輪山の神の子孫がつくった伝統食が今も息づく三輪・山の辺の地」を日本遺産に申請。惜しくも認定はされなかったものの、奈良の食文化をアピールした▼極寒期に丹精込めて精製した三輪そうめんは、しっかりとした歯ごたえと舌ざわりのよさが特徴。純白、極細のそうめんの、のどごしのよさは抜群だ▼まだまだ暑い日が続く。冷やしそうめんをいただきながら、味だけではなく、そうめんの持つ歴史や文化をかみしめるのも悪くはない。

――2016年9月2日付

甦れ国際都市・奈良

――2016年10月8日付

奈良市の平城宮跡から、ペルシャ人とみられる役人の名前が書かれた8世紀中ごろの木簡が出土していた。1300年前に遠国の外国人を公務員に登用していた先進性には驚嘆する▼しかし、よく考えると意外ではないかも知れない。752年、東大寺の大仏開眼供養会の導師を務めたのはインドの僧侶。諸外国の珍しい音楽や舞踏などが披露されたという▼総勢1万数千人が来場したというから、当時の東アジアの中では最大級の国際イベントだったに違いない。シルクロード東の終着点は当時、世界屈指の国際都市だった▼当時の平城宮人がタイムマシンで現在の奈良市を訪れると、どのような感想を話すであろうか。「にぎわいが乏しく淋《さび》しい」か「静かで落ち着ける」か▼いずれにしても、全国ワースト級のホテル部屋数では国際都市とは言われまい。「1300年前に追いつけ、追い越せ」では皮肉が過ぎるか▼とはいえ、奈良市の外国人観光客は年々増加傾向にある。大阪、京都のみを訪れる外国人に本県に足を伸ばしてもらいたい。古都にはそれだけの魅力はある。

農民一揆を扱った「芝村騒動と龍門騒動」

――2017年2月4日付

江戸時代、大和（奈良）の農民は比較的豊かだったと言われている。天領（幕府領）が多く、大名領より年貢の取り立てが緩かったので財を蓄える余裕があったらしい▼しかし、大和の農民一揆を扱った「芝村騒動と龍門騒動」（上島秀友・上田龍司著、青垣出版）を読んで認識を新たにした。過酷な年貢の取り立ては大和にも存在していたのだ▼両騒動とも刑死や獄死などで農民に多くの犠牲者を出している。重い年貢がきっかけとなった封建時代の悲劇であるが、租税の明確性と公平性の大切さは現代にも通じる教訓だ▼しかしながら、専門家以外、税についての知識を我々はどれだけ深く持っているだろうか。単なる「節税」の本ならあふれるほどあるけれども▼ロック界の大御所、ミック・ジャガーは大学を卒業して、本格的にミュージシャンになるか、それとも国税庁に就職するか迷ったらしい。英国での「税」の位置が分かる逸話だ▼民主主義の根幹である租税。子どものころから、租税の意義や役割などを理解する教育を一層進める必要があるだろう。

斑鳩町が「ゼロ・ウェイスト宣言」

――2017年5月10日付

随分前にイタリアのローマを旅行した際、公園で若い女性がごみを捨てようとするのをツアーガイド（日本人）が見て話した。「ごみ箱にきちんと捨てれば北、その場にポイと捨てれば南の出身」▼北イタリアは経済が豊かで、公共教育ができていると言いたかったらしい。人間性を出身地で決めつけるのはいただけないが、ごみへの対処で国民性が表れるのは確かだ▼清潔好きの日本人。最近の日本の公園にはごみ箱すらないところが多い。自分の出したごみは各家庭に持ち帰る。外国人観光客らにとっては驚きではないか▼ごみ袋有料化を十数年前に初めて実施した県内某市の市長。大混乱を招くと予想したところが、早朝に整然とごみ袋が並んでいるのを見て「いい市民らばかりと涙が出た」という。少しオーバーだが▼斑鳩町は8日、焼却や埋め立てに頼らない、ごみ処理の推進に向けての「ゼロ・ウェイスト宣言」を制定した。日本で4番目▼生ごみの堆肥化、資源ごみのリサイクル化などを徹底するという。「さすが、世界遺産法隆寺の町」と、クリーンヒットして欲しい。

1000万円のネコババ

――2017年6月26日付

もう30年くらい前の話だが、中国のホテルで盗難にあった。たばこ1カートン（10箱入り）を免税店で買った。その中の1箱が盗まれたのだ▼密室なので犯人は多分、ホテルの従業員と推測したが、面倒なので届けなかった。「たばこ1箱ぐらいで騒ぐまい」。残念ながら犯人の目論見通りだろう▼この場合はどういう目論見だったのか。御所市の廃棄物処分場で、ごみの中から現金1000万円が見つかったとされていたのは実は2000万円で、1000万円をパート従業員ら5人が山分けしていたとのニュースだ▼当初の1000万円拾得が大きく報道され、「大ごとになった」と感じた男が常務に報告して発覚したという。たばこ1箱ならともかく、1000万円のネコババは、落とし主が現れたら簡単にばれるではないか▼もっとも、彼らは当初から窃盗を目的としていたわけではない。正直に届けようとしたのだが、あまりに巨額な現金を目の前にして目がくらんだのだろう▼生臭い人間ドラマを垣間見た。山分けした現金は、たばこや光熱費などに計15万円を使ったという。

「神の使い」か害獣か

かつてシンガポールを旅行した際、夜間に動物を見学できるナイト・サファリを訪れた。南国の夜、ライトに照らされて動物が浮かび上がるのはエキゾチックだった▼ところが、旅行仲間の一人は「何や、鹿ばっかりやんか」とがっかりした様子。彼は奈良市出身だったので、鹿には見慣れていて、遠く赤道近くまで来たかいがなかったらしい▼奈良市全域に数千頭が生息しているとみられる国の天然記念物「奈良のシカ」。ところが、鹿による農産物の被害が増加しているので、県が初めて、おりを設置し捕獲に乗り出した▼ただ、捕獲されるのは農産物の被害が多い市東部山間の田原地区と東里地区で、観光客におなじみの奈良公園の鹿などは対象とならない▼同じ鹿に生まれても、生まれた地域によって「神の使い」にもなれば、害獣になる場合もある。何となく切ない気持ちになるのは、小さいころから鹿に親しんできた県民の感傷か▼本年度に上限120頭を捕獲する。捕獲した鹿は食用でなく、年齢や栄養状態などを調べるため解体されるらしい。有効活用を願ってやまない。

――2017年8月2日付

大和武士の群雄割拠

教科書だけでは歴史の面白さは分からない。大和高田市のまちづくりグループ・夢咲塾主催のセミナー「高田氏はなぜ信長に抹殺されたか」に参加して、つくづくそう思った▼古代から奈良時代までは教科書に詳しい。ところが平安遷都後、奈良は教科書の記述から消えてしまう。しかし、中世、戦国にも当然、大きな歴史ドラマはあったのだ▼本紙文化欄に「中世つれづれ漫歩」を連載中の郷土史研究家、上島秀友氏が講師を務めた。この日は、中世から戦国にかけて活躍した高田氏を中心に大和武士の群雄割拠を解説した▼上島氏は筒井順慶、松永久秀の両巨頭の対決を軸に、それに絡む高田、箸尾、布施など地元武士の動きを詳しい資料を元に推論を交えて話した▼中世、戦国の奈良に詳しい人は少ない。教科書で京都の戦乱のような印象を抱かせる応仁の乱に、奈良が大きくかかわっていた点など、参加者は目からウロコの連続だったのではないか▼講演後の座談会では、上島氏を囲んで熱心な参加者らが郷土史談議に花を咲かせた。歴史のロマンに浸れるのは古代史だけではない。

――2017年10月31日付

生駒市が市職員に「副業」促進

――２０１７年7月25日付

イタリア・ルネッサンス期を代表する芸術家ダ・ヴィンチ。肖像画「モナリザ」の作者として有名だが、美術のほかにも音楽、解剖学などにも通じ、何とヘリコプターや戦車の概念まで考えていた万能人だ▼どういう訳か、日本ではマルチに才能を発揮する人は「器用貧乏」と軽んじられる傾向がある。逆に一つのことに人生を捧げる「〇〇一筋」「〇〇一代」が尊ばれる▼生駒市が市職員に「副業」を促進する方針を決め、基準を明文化して8月1日から施行する。活動は勤務時間外や休日に行い、許容できる額の報酬などが条件▼想定しているのはNPO活動やスポーツ指導者、講演活動など。「本業」がおろそかになっては本末転倒だが、面白い試みではないか▼公務以外の仕事を体験することにより、職員の能力向上や地域貢献になるのでは。生駒のダ・ヴィンチとまではいかないまでも、人間力が磨かれると期待する▼ただ、多方面に力を注ぐのには向いていないタイプの人もいる。弁護士、タレントなどを兼ねる国会議員の中には本業の「〇〇一筋」でいて欲しい人の多いこと。

替え歌で県内市町村PR

――2017年11月19日付

「山は白銀《しろがね》、朝日を浴びて」は童謡「スキー」の有名は歌い出し。これを「朝の早《は》よから、弁当箱さげて」と替え歌を口ずさんだ人は昭和世代だろう▼このようなおふざけではない真面目な替え歌とカラオケ映像で、県内の観光地をアピールしようというユニークな取り組みが来月2日にスタートする▼県がカラオケ配信大手の協力を得て、県内全市町村に背景映像の製作を依頼したところ、「面白い」と20市町村が応じた▼「大阪しぐれ」「京都慕情」「そして神戸」などなど、京阪神には全国的に有名な「ご当地ソング」が数多い。が、奈良には乏しいから、替え歌で地域の魅力を発信するのだそうだ▼原曲はシャンプーのCFで一世を風靡《ふうび》した昭和のヒット曲「ふりむかないで」。県内参加市町村は、それぞれ地域の特徴を織り込んだ歌詞と映像をつくった▼各楽曲を配信できるカラオケ店のほか、インターネットの動画サイト「ユーチューブ」でも視聴できる。新ご当地ソングとしてヒットするかは、各作品の出来次第か。

著名人の逸話残る奈良ホテル

——2017年12月27日付

これはもう美術館、博物館の域に達しているのではないか。久し振りに奈良市の老舗・奈良ホテルを訪れる機会があり、そう実感した▼明治42年創業で、和洋折衷の本館は、旧東京駅を手掛けた辰野金吾の設計。ロビー、レストラン、廊下など、いたるところに上村松園ら巨匠の日本画が飾ってある▼日本の皇室をはじめ数多くの著名人が宿泊。アインシュタインの弾いたピアノ、オードリー・ヘップバーンが感嘆した和風シャンデリア。逸話にも事欠かない▼観光県でありながら、ホテル、旅館の部屋数が日本最下位クラス。汚名返上とばかり県内は今後、新しいホテル建設の計画が相次いでいる▼ただ一部では「ホテルを建てても需要がそれだけあるのか」「昼の名所・旧跡巡りはともかく、店が早仕舞いし、夜に遊ぶところが少ない」と建設ラッシュを危惧する声もある▼漫然とホテルを新築してもだめだろう。奈良の持つオンリーワンの魅力を味わってもらうための設備・運営の創意工夫が必要だ。百余年の伝統を誇る奈良ホテルに、そのヒントが隠されているような気がしている。

奈良県民は宣伝下手

――２０１８年２月24日付

大阪市に住む知人の母親が亡くなり、葬式に参列した。「まあ遠い奈良から来ていただけるなんて、思ってもみませんでした」と知人に感激されてしまった▼感謝されるのはいいのだが、どうもしっくりこない。式場は大阪市内とはいえＪＲ大和路沿線の駅近く。筆者からすれば、高校時代は毎日通学していたなじみの沿線である▼京阪神の住民の間には、「奈良は遠く離れている」「生活するのに不便」と、頭の中にイメージが刷り込まれている人が少なくないのに驚かされることがある▼河合町街再生協議会の委員を務めている。人口が年々減少している町を活性化するのが目標であり、流入人口を増やすのが課題の一つ▼先日の会議では、町に引っ越してきてもらうには町の知名度を上げなければ。新聞、テレビはもちろん、インターネット、ＳＮＳを利用し全国に町の魅力をＰＲしようと話し合った▼河合町だけの問題ではない。全国的にみて「奈良」のブランドイメージは高いにもかかわらず、県民は宣伝下手。就職の面接対策のように、自己アピールをうまくできるようにしなければ。

善と悪の評価

子どもマンガや時代劇によくある「ええもん」と「わるもん」の対決。勧善懲悪、善と悪に区別するのは、単純で分かりやすくドラマになりやすい▼古代の豪族、蘇我馬子。我が国の仏教興隆に大きな業績があった人なのだが、蘇我氏が乙巳《いっし》の変で討たれ、それを正当化する記紀の記述から蘇我一族は長年、悪のレッテルを貼られてきた▼馬子ゆかりの寺院の僧侶17人が、馬子の功績を称えようと19日に、馬子の墓とされる石舞台古墳隣接の場所で顕彰法要を営む。不当な評価を見直す動きが出てきている▼稀代のベストセラー作家司馬遼太郎によって、日本歴史上の忌むべき存在と指摘されたのが、搾取と圧政、弾圧により島原の乱の要因を作ったと言われる大名、松倉重政▼ところが、重政は五條市では、新町を築き五條を繁栄させた名君として称えられている。平成20年には、顕彰碑が新町通りに建立されたくらいだ▼五條二見城主の時は善人だったのが、後に島原では大悪人に変貌してしまったのか。テレビドラマのように善と悪には割り切れない。人間の謎は深い。

――2018年5月18日付

近鉄田原本線が開業１００周年

――２０１８年７月１８日付

「やまてつ」と愛着を込めて祖父が呼んでいたのを思い出す。大和鉄道として創業を始め、後に近鉄と合併した近鉄田原本線の開業１００周年記念イベントが沿線の5町で28、29日にある▼西田原本駅から新王寺駅までの短い距離（約10キロ）を結ぶ単線。郡部ばかりで市部をまったく通らない。のどかな田園地帯を3両編成で懸命に走っている▼通勤・通学に利用する人が多い。筆者の小・中学校時代は学校から離れた大字《おおあざ》の児童・生徒が利用した。「いいなあ、電車通学できて」と定期券を持つ同級生に憧れたものだ▼戦時中は燃料不足か燃料不良で列車が途中で停まってしまい、乗客が降りて押したという逸話を聞いたことがある。厳しい内容なのだが、なぜかほんのりとする▼かつて沿線のニュータウン化によって増えた乗降客は、少子高齢化により減少傾向。平成23年からは西田原本、新王寺を除く途中6駅全てが無人駅となってしまった▼が、地域住民にとっては、なくてはならない存在だ。乗ったことのない人は「時間がゆっくりと流れる癒やしの電車」を一度味わってください。

元祖ローカルアイドルNSK

――2019年8月18日付

「花の中3トリオ」。14、15歳の女性歌手3人が、筆者の少年時代のアイドルだった。今は、AKB48や乃木坂46など「数で勝負」らしい▼アイドルの老舗といえば、少女歌劇。大正3年設立と宝塚歌劇団と、同3年設立のOSKが有名だ。OSKは、奈良市のあやめ池遊園地に本拠を置いていた時代が長かった▼大正末期から現在の大和郡山市を拠点に全国を巡業していた「日本少女歌劇団（NSK）」があったのを本紙（10日付）で初めて知った▼戦後は宮崎県を皮切りに九州、東北、北陸などを巡業。昭和30年代初めごろまで活躍。当時、各地を巡業するスタイルは珍しく「元祖ローカルアイドル」とも言えるとか▼現在、県は古代の歴史遺産は豊富だが、華やかなエンターテインメントには縁遠い。日帰りが多く、宿泊する観光客が伸びないのも、そのあたりにも要因がありそうだ▼しかし、過去にはOSK、NSKのように県からエンターテインメントを発信していた時があったのだ。県の明治・大正・昭和の歴史を振り返れば、ほかにも貴重な発見があるかも知れない。

「奈良判定」の混乱乗り越えV

——２０１９年10月９日付

国体のボクシング競技で、県勢の３選手が優勝。県としても同競技で天皇杯（総合優勝）を獲得した。今回の快挙は「めでたい、おめでとう」を遥かに超える価値がある▼昨年の流行語になった「奈良判定」。強権を誇った山根明日本ボクシング連盟会長が、審判に圧力をかけ、出身母体の奈良県選手の判定を有利に導いたのではないかとされる疑いである▼ほかに数々の不正疑惑が浮かび上がった山根氏が辞任に追い込まれたのは、数多くのメディアで報道された。だが、「奈良判定」疑惑で犠牲になったのは県選手ではないか▼「奈良判定」が取り沙汰されたのは山根氏個人の問題であって、選手はまったく関係がない。それなのに、周囲から「勝たせてもらったのでは」と白い目で見られてしまう▼事実、「奈良判定」がクローズアップされた直後の大会では、あずかり知らぬ「悪名」に悩む県選手がいたようだ。ボクシング王国に暗い影を投げ掛けた▼その悔しさを今回の優勝で、払拭《ふっしょく》することができたのではないか。最終ラウンドの逆転ＫＯ勝利のような快感を味わった。

奈良県産スギでギター製作

―2019年10月31日付

「ギターは小さなオーケストラ」という格言がある。ドイツの作曲家ベートーベンが言ったとの説が有力だが、フランスの作曲家ベルリオーズ説やスペインのギタリスト、セゴビア説も▼ギターは小さな楽器ながら、多彩な音を奏でられるからか。県産のスギ材を使ったギターを御所市の丸山ギター工房が製作。県庁で完成発表があった▼県森林技術センターが同板材の振動特性を測定し、「ギター用材として利用でき、独自性も期待できる数値」と評価した。演奏したプロのギタリストも「立ち上がりが良く、中高音域も良く響く」と太鼓判▼県産スギは木目が緻密で弾力が強く、薄く加工できるなどギターの素材に適しているとみられ、商品化も視野に。11月1日からの弦楽器フェア（東京）に出展される▼高校時代、女子を相手に弾き語りで誘惑できると、ギターは男子に人気の楽器だった。もっとも、映画の一シーンのような出来事は、周囲にはまったく起きなかったが▼青春回顧、いや中高年からの楽器入門として県産ギターを爪《つま》弾《び》くのも悪くはないだろう。

「ラグビーのまち」御所で「ふぇすた」

――2019年12月7日付

今年話題となった言葉に贈られる流行語大賞に、ラグビーW杯日本代表のスローガン「ONE TEAM（ワンチーム）」が輝いた。心を一つにして団結した戦いは、国民の胸を熱くした▼あまりラグビーを知らない「にわかファン」が急増したようだが、チームワークが重要視されるラグビーは元々、万人の共感を得る力がある▼テレビ青春ドラマの先駆作とも言われる「青春とはなんだ」（昭和40・41年）。夏木陽介演じる教諭が、ラグビーを通じて生徒たちに人間教育をする▼以降、ラグビーを題材としたドラマは数多い。また、実際の試合でも、3年前急逝した平尾誠二さんの同志社大、神戸製鋼での活躍は、関西のファンを大いに魅了した▼近年、高校での名勝負が本県の天理―御所実。ともに全国屈指の強豪で、今年は全国大会県予選で御所実に軍配が上がった▼「ラグビーのまち」を掲げる地元の御所市は14日、壮行会を兼ねた市民参加の「ラグビーふぇすた」を開催する。絶大な応援を背に、御所実ラガーメンは、全国大会で新たなドラマを生み出してくれるに違いない。

健康・スポーツ

サッカーと国民性

――2014年3月26日付

世界で一番競技人口の多いスポーツといえばサッカーだろう。今年6月開催のブラジルW杯のテレビ視聴者の数は、五輪をしのぐと言われる▼先日、ドイツリーグで、相手反則でペナルティーキックを得た選手が、「相手は反則していない」と正直に審判に話し、判定が覆ったという報道があった▼翌日の各新聞や世評は、この選手を絶賛したという。いかにも謹厳実直が美徳とされるドイツならではの話だ。同じような国民性と言われる日本でも、なかなか例がない▼反対に反則をされていないのに、わざとされたように振る舞う選手が多い国も多い。「それも技術のうち」とあまり批判もされないようだ。観客がおおらかなのか▼それぞれの国民性が表れて面白い。ただグローバルなスポーツであるからこそ、人種差別的な言動に対してはJリーグ、浦和レッズの無観客試合（サポーターの横断幕が原因）のように厳しいペナルティーが科せられる▼本県の場合、Jリーグのクラブはなく、高校サッカーで日本一に輝いたこともない。温厚な県民性が表れているというのは考え過ぎか。

全国屈指のラグビー強県

——２０１４年４月30日付

高校ラグビー史上の名勝負として語り継がれている昭和59年1月の決勝を戦った天理と大分舞鶴の元選手らが27日、花園ラグビー場で再試合。ファンの歓声を浴びた▼30年前は、終了間際に大分舞鶴のゴールキックがわずかにそれる劇的な幕切れで、天理が18―16で制したが今回は大分舞鶴が雪辱した。ラグビーは単なる勝ち負けを超えた感動を与えてくれる競技だ▼天理はこの後も1度優勝し、日本一は6度を数える。スポーツマンであった天理教の中山正善2代目真柱の推奨で、大正14年から始まった天理ラグビーの伝統は、今も健在だ▼県高校ラグビー界で近年、天理の強力なライバルとなっているのが御所実業。全国準優勝2回と、全国制覇まであと一歩のところに来ている▼2校の競り合いにより「県代表になることは全国で勝つより難しい」と言われる。全国屈指のラグビー強県といえる▼平成31年にはラグビーのW杯が日本で開かれる。花園ラグビー場のある東大阪市は会場誘致運動が盛んだが、花園に近い本県もW杯をにらんでラグビー熱をさらに盛り上げたい。

長寿国日本

「日本人は熱い風呂に入るから汗をかき、新陳代謝が促進されるから長寿。サウナを好む北欧人も長生きが多い」と、中国料理店を経営する中国人に聞いたことがある▼このように日本文化を褒めていた彼だが、畳の生活は絶対にしないという。「畳で暮らすと足が短くなる。だから、ずっと椅子の生活をしてきた私の娘は、すらっと足が長くスタイルがいい」▼彼の娘を見たことがないので説の正しさは確認できなかったが、確かに椅子で育ってきた最近の若い人たちは全体的に足が長くなったと感じる▼飛躍した論理だろうが、洋式生活になると足腰が弱くなるのではないか。粘り腰が身上の大相撲で、日本人横綱がいなくなってしまった▼純和式で育ち、胴長短足の筆者ら熟年世代も、加齢とともに畳での長い宴会が辛くなった。高齢者のために畳の上のテーブル、椅子を用意している日本料理店も増えているのでは▼肉体の衰えはまず足腰から。ウオーキングなど無理のない運動を心掛けたい。幸い県内には適した場所も多い。長寿国日本のことわざにある。「転ばぬ先の杖《つえ》」。

――2015年5月9日付

世紀の対決

予想は外れることも多いが、先日のボクシング「世紀の対決」は、奈良市出身の村田諒太ら多くの人が予想した通りとなった。世界ウエルター級王座統一戦である▼フロイド・メイウェザー（米国）が判定でマニー・パッキャオ（フィリピン）を下した。メイウェザーは、これで48戦全勝となった。60余戦無敗とされる剣豪・宮本武蔵のようだ▼武蔵は対戦の前に相手を徹底的に研究し、勝てる相手としか戦わなかったとの説もある。メイウェザーもそういう傾向がある▼この対決は5年前から取り沙汰されていたが、当時パッキャオは今よりパンチが強烈。勝てるかどうか確信できないので、メイウェザーは勝負を避けてきたとの見方も▼最近のパッキャオは、やや衰えが目立ち、メイウェザーは必ず勝てると踏んだのか。これはメイウェザー嫌いの人の意見だが▼試合運びが慎重すぎるメイウェザーに比べ、パッキャオは勝つも負けるも劇的で、日本を含め世界的に人気が高い。全勝なんてつまらない。勝ちも負けもあるから人生は面白い。まあ、これは最近負けが込んでいる男の強がりか。

――2015年5月18日付

年齢の壁を超える

——2015年6月30日付

毎週月曜の本紙経済面に企業の社長らに聞く「トップひとこと」のコーナーがある。年齢を見ると、大企業や老舗でも50歳代前半が多くなり、中には40歳代も▼体力が必要なスポーツ選手には旬の年齢がある。プロサッカー選手は30歳になればベテラン。35歳前後で引退をする選手も多い中、48歳で現役を続ける三浦知良は国宝級の選手だ▼同じスポーツでも野球の場合は、年々活躍できる期間が長くなった。橿原市出身の三浦大輔投手（41）のように40歳以上の選手も増えた▼逆に年齢を重ねるほど尊ばれる傾向があるが、クラシック音楽のオーケストラ指揮者。40歳で新鋭、50歳で中堅とされる場合もある。経験の積み重ねが大切だからか▼現役からリタイアしても元気な高齢者が多くなった。スポーツジム、マラソンなどで健康づくりしたり、ボランティア活動に精を出す人たちの顔は輝いている▼肉体には年齢があるが、精神的には年齢の壁を取り払って生きたいものだ。「年を重ねただけで人は老いない。理想を失う時に初めて老いがくる」（サミュエル・ウルマン）。

マラソン銀、君原さんの名言

マラソンのメキシコ五輪銀メダリスト、君原健二さんの名言に忘れられないものがある。走っていて途中でくじけそうになった時、「すぐ諦めないで、とりあえずは次の電柱までは頑張ろう」と走り続ける▼それが積み重なって結局は完走となる。苦しくとも投げ出さないで、一つ一つの地道な努力が道を開く。マラソンが立派な人生訓になっている▼苦難の先には歓喜のゴールがある。ベートーベンの第九交響曲（合唱）の曲想にも似ている。マラソンでなく十種競技だったが、ミュンヘン五輪記録映画で第九が使われていた▼テレビの2時間を超えるマラソン中継を最初から最後まで見るのは、日本人だけと言われる。マラソンにスポーツ以上に何かを見ているのかも知れない▼奈良マラソンは、あす開幕。1万9000人を超えるランナーが集う。いや参加するのはエントリーした走者だけではない。スタッフ、応援の観客らも一体となって大会をつくる▼海外からも17カ国から参加がある。パリ同時多発テロなど世界が激動している中、大会は五輪と同様、平和の祭典と読めなくはない。

――2015年12月11日付

ラグビーの選手交代

県代表の御所実が出場している全国高校ラグビー大会が開かれている。近年、ラグビー観戦して目につくのが、選手交代の多さだ。高校は10人の交代枠が認められている▼かつてラグビーの選手交代は、けがをした場合しか認められなかった。どれだけ苦しくなっても先発した選手が死力を尽くす。精神力が尊ばれた▼奈良市出身の大西鉄之祐監督が率いる日本代表が昭和43年、世界の強豪ニュージーランドの準代表チームを破ったのはラグビー史上に残る快挙だ▼当時の日本は、まったく無名。試合前、大西監督は選手間で水盃を回し、最後に叩《たた》き割って、「死んでこい」と激励したのは伝説となっている▼「取り組んだら放すな。殺されても放すな。目的完遂までは」は、女子社員の過労自殺で知られるようになった電通の行動規範であった「鬼十則」の一つ▼ともに、「死ぬ気で頑張れ」の意味で、本当に死ねといっているのではない。ただ、交代枠を多く使って、個人、組織として最高の力を発揮できるシステムの方が、現代には合致しているのではないか。

――2016年1月4日付

清原和博選手の思い出

——２０１６年２月11日付

スポーツ観戦で衝撃的な体験がある。昭和63年の日本シリーズ第1戦、ナゴヤ球場の左翼席で観戦していたら、西武4番打者の放った打球は、はるか頭上を弾丸ライナーで越えて場外に消えて行った▼「カーン」のような澄んだ音ではなく、「ボコッ」とボールがつぶれるような打球音。１６０㍍以上は飛んだと言われる一撃の後、中日ナインは戦意を喪失したようだった▼その天才または怪物打者を、今は清原和博容疑者（当時）と呼ばなければならないのは痛恨の極みである。小生は今はなき近鉄バファローズの大ファンだったが、清原は好きだった▼大阪府岸和田市生まれでＰＬ学園高校出身だが、奈良県内の高校進学の話もあった。結婚式は県内の神社で挙げたように、本県との関わりも深く親しみが持てた▼こわもて「番長」キャラは、映画「悪名」で、勝新太郎演じた八尾の朝吉親分のような陽気で憎めない存在と。が、いつの間にか本物の極道のように▼覚せい剤は再犯の可能性が高いと言われる。しかし、可能性は低くとも個人的には更生を信じたい。あの日の記憶が残る限りは。

高齢者のジム通い

――2016年7月20日付

腹部肥満のメタボリックシンドロームと診断されている。医者の勧めもあり、スポーツジムに通っている。といっても、週に1回程度なので成果はほとんどないのだが▼最近は利用者の層が様変わり、仕事をリタイアした高齢者が増えた。筆者の通うジムは開館時間前の玄関前に、入館順番取りのため多くのバッグが置かれている▼「しばらく。調子はどうですか」「マラソン大会に出るんですよ」。ロッカールームや休憩室で談笑する人も多い。ジムが一種の社交場となっている▼高齢者の筋力トレーニングは介護予防になると奨励している自治体もあるから、ジム通いする元気な高齢者が多くなるのは、まあ結構な話ではないか▼奈良市環境清美センターの職員らが無断でトレーニングルームを設置していたと一時問題となったが、本紙報道によると、「腰痛や膝痛の予防」のため平成12年度に公費で整備されていたのだった▼環境部への十分な聞き取りがないまま市が発表に至ったらしい。奈良市は何かにつけて説明不足が目立つ。体だけでなく論理的思考を鍛えるべきだろう。

スポーツの精神

五輪に涙はつきもの。勝って泣き、敗れて泣き、選手の頑張りに共感した観衆も泣く。今回のリオ五輪は多くの感動を与えてくれた▼アニメは日本を代表する文化と言われて久しいが、かつて一世を風靡《ふうび》したアニメにいわゆる「スポーツ根性もの」がある。「巨人の星」「アタックNo．1」など枚挙にいとまがない▼「スポ根は、もう時代遅れかな」と思っていたが、なかなかどうして。五輪にはまるでアニメドラマのような展開もあった。体力だけではなく精神力の勝負だった▼日本独特の泥臭い根性は、立派に世界で通用するのが実証された。といっても、日本のスポーツ界独特の封建的な体質は改革しなければ▼随分前だが、高校野球で「おまえのせいで負けたやないか。みんなに土下座して謝れ」と監督がエラーした選手を公衆の面前で叱った現場に遭遇した▼「監督、それはないでしょう。誰だって好んでエラーするわけじゃない」と、その場で発することができなかったのは人生の痛恨事。勇気のある人が多くなって欲しい。次の東京五輪までに。

――２０１６年８月22日付

スポ根「柔道一直線」の時代

大野将平選手が金に輝いたのをはじめ、リオ五輪で柔道日本代表のすべてがメダルを獲得。力ずくや戦略的でなく、競技スタイルが美しかった。柔道日本復活だ▼強い柔道といえば、テレビドラマ「柔道一直線」(昭和44～46年)を思い出す。桜木健一や近藤正臣らが出演。組んで回転する「地獄車」など柔道とは言えない奇抜な技のオンパレード▼ドラマの高校柔道部で、鉄ゲタを履いてウサギ跳びをしていた。鉄ゲタはマンガ的だが、ウサギ跳びなら筆者も中学時代に練習した経験がある。膝《ひざ》を痛める危険があるので、今はほとんど見かけない▼スポーツ根性の時代。汗だくになっても、先輩らから「練習を終わるまで水を飲むな」と言われた。水を飲むとバテるのだという。科学的トレーニングには、程遠かった▼生駒市の中学で、ハンドボールの部活中に中1男子が熱中症状による腎不全で亡くなった。気温約30度の中、「給水をとらずに35分間のランニングをさせた」らしい▼いまだに、このような部活があるのかと残念な気持ちでいっぱいだ。再発防止を切に願う。

——２０１６年9月9日付

スマートフォンの機能

特に設定したわけでもないのに、スマートフォンが持ち主に気をきかせてくれた。筆者の1日の歩行距離を勝手に計ってくれていたのを偶然に発見した▼休日に電車で遠出した際には5キロを超えている。ところが、自家用車通勤でデスクワーク主体の仕事だと、情けないことに1キロにも満たない▼スマートフォンに「ご主人、運動不足ですよ」と無言で注意されているようだ。衰えは足腰からである。成人病の予防にためにも、毎日の適度な運動の必要性を痛感した▼最近の高齢者は元気だと言われるが、それだけ健康に気を配っているからだろう。仲間でウオーキングに出掛ける姿をあちこちで見かける▼平均寿命のうち、健康で自立して活動し生活できる期間を一般的に健康寿命という。「元気で長生き」の寿命を、いかにして延ばしていくかは高齢者社会の課題だ▼退職や配偶者の死後、急に落ち込む高齢者が多い。独り暮らしは家に閉じこもりがちだ。精神的な要素はもちろん、外出して歩かなくなったのも原因では。スマートフォンの機能から多くのことを考えさせられた。

――2017年1月18日付

人口減でも日本の将来は…

――2017年2月22日付

国や本県の人口は減り続けている。平成27年国政調査では県全人口で65歳以上が占める割合は28・7%。少子高齢化は進み、「日本は衰退していく」との悲観論が主流となっている▼働き手である生産人口は減り、社会保障費などで若年層への負担がますます増える。各種調査でも「日本の将来は不安」という若者が多数を占めているのが現状だ▼それら暗い見通しに対して、経済学の立場から光明を差してくれている本がある。新書大賞で2位となった「人口と日本経済」(吉川洋著、中公新書)だ▼日本は1950年代の高度経済成長期前までは、先進国の中では最も平均寿命の短い国だった。一人当たりの所得の伸びと、イノベーション(技術革新)が日本を世界屈指の長寿国に押し上げたのだ▼先進国の経済成長を決めるのは人口ではなくイノベーションであり、超高齢化社会の日本であるからこそ大きな可能性を秘めていると著者は説く▼データを駆使した明晰《めいせき》な論理の展開には説得力がある。高齢者は片隅で遠慮することはない。長寿国を誇るべきは当たり前なのだ。

セレッソ大阪、悲願の初タイトル

大阪市に本拠を置き、県内にもファンが多いサッカーJ1のセレッソ大阪が4日、国内サッカー年間三大会の一つ、ルヴァンカップで優勝し、悲願の初タイトルを獲得した▼平成5年のチーム創設来、あと一歩のところでタイトルを逸してきた。平成17年、リーグ最終戦で勝てば優勝の試合、追加時間に追いつかれた「長居の悲劇」を筆者は目撃、今も観衆の悲鳴が忘れられない▼悔しい思いをしてきた元日本代表でミスター・セレッソの森島寛晃・強化部長は「勝負弱いと言われてきたが、選手たちがやれることを証明してくれた」と称えた▼森島部長の「日本一腰の低いJリーガー」と言われた人柄はサポーターらに浸透。優勝後のスタンドからは選手だけでなく、森島部長や玉田稔社長のコールも沸き起こった▼選手の頑張りはもちろんだが、チームを支えてきた功労者、スタッフの尽力をサポーターは、きっちりと評価していたのだ。選手、スタッフ、サポーターが一つになったVだ▼本県の奈良クラブも、早くJリーグ入りを果たして、県民にこのような感激を味わわせて欲しい。

――２０１７年10月6日付

高齢者施策の大綱の見直し案

――２０１８年１月26日付

「生きていくあなたへ　１０５歳どうしても遺したかった言葉」「孤独のすすめ　人生後半の生き方」「百歳人生を生きるヒント」「夫の後始末」「九十歳。何がめでたい」▼本紙に掲載された啓林堂書店（県下５店）の今週のベストセラーを見て驚いた。高齢をいかに生きるかの啓発本やエッセーが上位10位の半分を占めている▼超高齢化社会にどう対処するかが大きな社会問題になっていて、個人としても切実に考えている人が多いのが現れているのではないだろうか▼政府は高齢者施策の指針となる大綱の見直し案をまとめた。「65歳以上を一律に高齢者とみる一般的な傾向は、現実的なものでなくなりつつある」と明記した▼公的年金の受給開始時期を、70歳を超えても選択できるようにするほか、高齢者の就業推進も打ち出した。高齢者の体力年齢は若くなり、意欲も高くなったからと▼「政府の財政が苦しいから受給年齢を引き上げるのか」との皮肉な見方はよそう。「あと○年しか働けない」と悲観するより「もう○年も働ける」と考えた方が精神衛生上はいいだろうから。

天皇杯サッカー、ＰＫ再戦の奈良クラブ

――２０１８年６月13日付

サッカーのＷ杯が15日（日本時間）に開幕。名シーンの一つとして思い出されるのが１９８６年メキシコ大会での、神のマラドーナ（アルゼンチン）の手ゴールだ▼準々決勝の対イングランド戦。マラドーナはヘディングで得点したが、相手側は手を使った反則と抗議。判定は覆らなかったものの、後でマラドーナは「あれは神の手だ」と▼ビデオで見てもマラドーナが拳でボールをはたいているのが分かる。審判の誤審である可能性が高かったわけだが、結果は覆らない▼これがサッカーだと思っていた。ところが、天皇杯２回戦（６日）奈良クラブ―名古屋グランパスのＰＫ戦で、主審に規則適用の誤りがあったとして日本サッカー協会は奈良クラブの勝利（５―４）を取り消し、ＰＫ戦をやり直す▼奈良クラブ４人目の選手がキックする動きを主審がフェイントと判断したが、やり直しをさせ成功。フェイントとやり直しの判断が間違っていたという▼奈良クラブのサポーターには納得できかねるのではないか。ＰＫ再戦での奈良クラブのスポーツマン精神に期待するしかない。

「60歳老人」描写に違和感

——２０１８年12月18日付

水上勉の代表作の一つ「飢餓海峡」（昭和38年刊行）を読んだ。戦後間もない昭和22年の青函連絡船転覆事故を題材としたスケールの大きいサスペンス小説だ▼昭和40年に映画化され、これも日本映画屈指の名作として知られる。戦後の貧しい時代を懸命に生きる日本人の姿が描かれていて、時代を超えた感銘を与えてくれる▼ところが、どうしても違和感のある描写が。60歳前後の人の多くが、もうろくした老人とされている。老いているのに、かくしゃくとしていると称えられている退職刑事が筆者と同年代なのだから、嫌になってしまう▼もっとも、小説が設定している昭和22年から10年間くらいの日本人の平均寿命は、昭和32年でさえ63・24歳（男）、67・60歳なのだ。平均寿命が81・09歳、87・26歳の現在とは違って当たり前か▼県民の「健康寿命」（介護を必要とせず、自立した生活のできる期間）の日本一達成を県が目指している▼減塩食、運動、がん検診などの健康行動を心掛けたい。かくしゃくとした80歳代と描写されたいものだ。

大相撲で不可解な判定

――2019年5月28日付

スポーツに疑惑の判定はつきものだが、中でも世界的に有名なのがサッカー1966年W杯。地元開催のイングランド―西ドイツの決勝戦だろう▼イングランド選手のシュートが、ゴール上のクロスバーの下側を叩き、ほぼ真下にバウンド。線審はゴールと判定した▼西ドイツの肩をもつわけではないが、当時の映像からはノーゴールのように見える。サッカーの母国開催で何らかの忖度《そんたく》が働いたとも▼現在のW杯にはビデオ判定が導入されているから、このような疑惑はなくなりつつある。ところが先日、日本の大相撲で不可解な判定があった▼栃ノ心―朝乃山で、行司の軍配は栃ノ心に上がったのだが、栃ノ心のかかとに土俵外の砂がついていたと物言いがつき、判定が覆った▼ところが、ビデオでは栃ノ心のかかとは、浮いているように見える。審判長は「ビデオより人間の目を信じる」のだそうだ。それならビデオなど導入しない方がいい。グローバルなスポーツを目指さずに、ローカルな伝統芸能に徹すればいい。

「パジャマdeおめかし！」

――2019年11月7日付

大学病院というと、医療について安心感があるものの、個人的には近寄りがたいとの先入観があった。小説「白い巨塔」のイメージをひきずっているのかも知れない▼ところが、我が県立医科大学は、付属病院に親近感を抱いてもらえるような取り組みを行っている。現在、開催中の「パジャマdeおめかし！写真展」もその一つだ▼入院患者や通院患者らにモデル参加を呼び掛けた。撮影会は、プロのスタイリストが女性はもちろん、男性にも化粧をほどこし、おしゃれなパジャマなどを提供した▼「入院中でも美しく楽しく過ごしことで、ストレスを軽減し、回復も促進できる」のが狙い。参加者からは「明るい気持ちで過ごせる」と好評だ▼超高齢化社会を迎え、ほとんどの人は、病院でお世話にならなければならない。通院や入院は、どうしても心が重くなる。前向きになれるような病院の雰囲気づくりが大切だ▼考えてみれば、家庭内でのパジャマ姿は見る人が限られているが、入院すればより多くの人の目に。病院では「パジャマでおしゃれする文化」が根付くかも。

野村克也さん逝く

——２０２０年2月12日付

プロ野球界の大御所、野村克也さんが亡くなった。平成にはヤクルトの監督として3度の日本一に輝いたが、筆者にとって京都出身の野村さんは「関西、昭和、月見草」とのイメージが鮮烈だ▼昭和40年代、野村さんが南海ホークス選手時代に大阪球場で観戦した。試合前の練習で、敵の近鉄ファンから私生活をあてこすった強烈なヤジが飛んだ時、にやっと苦笑した顔が忘れならない▼今の基準なら人権侵害とも言える内容で、事実ヤジに激怒した選手もいたが、野村さんは違った。人間としての大きさを感じさせた▼苦労人である。高校からテスト生で入団し、大阪で初めてカレーライスを口にして「こんなにうまいものが世の中にあるのか」と驚いたという▼「王や長嶋がヒマワリなら俺は月見草」と自分を地味な草にたとえたが、実は「富士には月見草がよく似合う」（太宰治）を意識したプライドの高さをにじませる言葉だとの説も▼晩年は好々爺《や》としてテレビで親しまれた。最愛の沙知代夫人の後を追うように同じ病気で急逝した。昭和の星が、また一つ消えた。

ねたみ心が恥ずかしく

――2020年2月20日付

今夏に開かれる東京五輪のチケットがなかなか手に入らない。周囲には抽選でチケットが当たった人は皆無だし、ある競技団体の関係者に聞いたら、出場選手の家族分しか割り当てがないという▼思い出すのがサッカーの2002年日韓W杯。日本開催試合は断念してサッカー好きの友人と、わざわざ韓国へ行って観戦した。ところが、知り合いが横浜で決勝戦を見たという▼何でもスポンサー絡みの招待だったとか。それほどサッカーに関心があったとは思えない人が楽々と観戦。その時は暗い「ねたみ」が心に芽生えてしまった▼東京五輪に向け、山添村民らが「やまぞえ絆《きずな》リレー」を企画した。村内外の公募ランナーが、オリジナルトーチをつなぎながら村各地区にある神社30カ所を巡るという▼同村は聖火リレーのルートに入っていないことから、絆リレーを通じて五輪の日本開催を共に祝おうと有志が企画したそうだ▼村に聖火が通らないのは残念に違いないが、それを克服して新たなイベントを作り出す、明るい心意気に感心した。18年前の「ねたみ」心が恥ずかしくなった。

父の甲子園球場賃貸計画

——2020年6月18日付

賛同者を集い、自費で甲子園球場を借り切って、高校球児の息子らに甲子園の土を踏ませてあげる。父は固く決意していた▼春の選抜大会出場が決まりながら、コロナウイルス禍のため大会が中止された親子の話である。この甲子園賃貸計画の実現はならなかった。うれしいことに▼救済策として、日本高野連が選抜出場予定だった32校が参加する交流試合を8月に甲子園で開催するからだ。久し振りに会ったら、父の酒は、やけ酒から祝杯に代わっていた▼白球に青春をかけ、憧れの甲子園出場権を得て、新聞等で選手紹介もされながら、直前で大会そのものがなくなった悔しさ、無念さ。知り合いの親子のように交流試合で救われる人は多い▼残念ながら夏の全国高校野球も中止となったが、県高野連は県独自の対抗試合を7、8月に予定している。3年生に最後の晴れ舞台を提供しようという配慮がある▼第2波の感染拡大が懸念されるコロナウイルスだが、交流試合や対抗試合のような「思いやり」の心がある限り、人は決してウイルスには負けないだろう。

笑いで免疫力向上

――2020年7月25日付

新型コロナウイルスの感染が県内でも広がっている。感染予防のためには、できるだけ人との接触を避けること。それに加え、目に見えないウイルスへの怖れから、「コロナ鬱《うつ》」になる人も▼ボクシング元世界王者の竹原慎二さんは、重度の膀胱《ぼうこう》がんを克服した。「お笑い番組などを見て、笑いで免疫力を高めたのが功を奏したのでは」とテレビ番組で話していた▼もちろん、個人差はあるだろうし、数値化できるわけでもないが、笑いが免疫力向上につながるのは通説だ。「コロナ鬱」の解消にも役立つかも知れない▼手軽に楽しめるのは、漫才、落語といったところか。関西では漫才の人気が圧倒的だが、懐の深い味わいが古典落語にあるのではないだろうか▼奈良を舞台とした演目に「鹿政談」がある。誤って鹿を殺してしまった豆腐屋が、名奉行の裁きによって救われる話。故桂米朝さんの格調高い名演を思い出す▼インターネット、DVD、CDなどによって、家庭でも数多くの落語を鑑賞できる。コロナウイルス感染収束へ向け、「笑う門《かど》には福来《きた》る」にしよう。

普遍的な健康法

――1999年9月22日付

健康づくりの一環としてジョギングを始めた。先の日曜日、ある市民駅伝大会に出場したが、大会本部が「水分をおとりください」「熱中症にご注意ください」と、しつこいくらい呼び掛けていた。前週の駅伝大会で、熱中症患者が続出したからだ▼なまくらランナーのたわごとかも知れないが、このような大会は楽しく走るのが基本ではないだろうか。それなのに、悲壮で気まじめな人が多すぎる。もちろん、タイムを狙っている人たちに「遅く走れ」と言うつもりはないが、走っている間も声援に笑顔で応えるだけの余裕を持ちたい▼ジョギング人気も根強いが、最近は健康づくりのため「歩く」の人気が高まっている。タニタ体重科学研究所のアンケート調査によると、健康づくりの方法では「運動」と答えた人が77・2%と最も多かった。運動の内容では「歩く」「散歩」「ウオーキング」などが上位を占めている▼健康づくりの目的では、「心の健康づくり」「ストレス解消」「精神的安定」など〝心〟に関する回答数（複数回答）が前年の638件から1121件と倍増。子どもでもストレスをためるという現代社会の反映か▼同研究所は「ストレスが肥満を増幅させ、肥満もまたストレスを生む複合連鎖の時代である」とし、『歩行』はそんな時代を生きる現代人にとっても、もっとも普遍的な健康法ではないか」としている▼「ストレス」「肥満」の〝現代病〟に立ち向かうためには、歩行やジョギングなどの運動が強い武器になるようだ。もちろん、武器をつねに磨いておか（運動を続け）なければならない。

著　者

山下　栄二（やました・えいじ）

昭和34（1959）年、奈良県北葛城郡河合町生まれ。龍谷大学法学部卒業。同59（1984）年、奈良新聞社入社。編集部天理支局、運動担当、県政担当、運動・生活面担当デスク、高田支局などを経て平成25（2013）年10月から編集委員。令和2（2020）年に定年退職。

フリーライター、日本ペンクラブ会員、日本ワーグナー協会会員。著書に「シネマ名作ライブラリー」（2014年、奈良新聞社刊）。

本書は、奈良新聞1面のコラム欄「國原譜」に著者が編集部デスク時代に、1998（平成10）年4月27日付から2020（令和2）年11月23日付まで、足掛け22年の間に書いた177編を採録したものです。記事の分量が一定でないのは、紙面のレイアウトに変遷があったためです。

コラム徒然草《つれづれぐさ》 奈良《なら》から

令和3（2021）年7月31日　第1版第1刷発行

著　　者　山下《やました》　栄二《えいじ》
発 行 者　田中　篤則
発 行 所　株式会社　奈良新聞社
〒630 − 8686　奈良市法華寺町2番地4
TEL　0742（32）2117
振　　替　00930 − 0 − 51735
印刷・製本　株式会社渋谷文泉閣

ISBN978-4-88856-166-2